역리시(易理詩)

병주 이종락(李鍾洛, 1938~2023)

단산 박찬근 편저

서문

병주(屛洲) 이종락(李鍾洛) 선생의 학문은 주자학(朱子學)을 바탕으로 경서(經書) 연구 및 평생을 경서 강의를 통해 많은 제자를 길러냈으며, 특히 주역(易經)· 춘추(春秋)에 관한 연구가 깊었다.

이 역리시(易理詩)는 병주(屛洲) 이종락(李鍾洛, 1938~2023) 선생의 시집으로, 주역의 이치를 중심으로 학문과 관련된 190수의 시를 수록하고 있다. 이 시집은 주로 주역, 유학, 자연, 인생, 그리고 자신의 심경 등을 주제로 하고 있다.

주제별로 살펴본 "역리시(易理詩)"의 특징

주역
주역을 천지자연의 이치를 담고 있는 책으로 이해하였으며, 주역을 통해 삶의 진리를 깨우치고자 하였다. 그는 주역의 기본 개념과 원리를 이해하고, 주역의 가르침을 삶 속에서 실천하고자 하였다. 주역 관련 시들은 주역의 기본 개념과 원리를 이해하기 쉽게 풀이하고 있다. 또한, 주역을 통해 삶의 진리를 깨우치고자 하는 지향점을 잘 보여주고 있다.

유학
유학을 삶의 지침으로 삼고, 유학의 가르침을 통해 자신의 삶을 성찰하고자 하였다. 그는 유학의 기본 개념과 원리를 이해하고, 유학의 가르침을 삶 속에서 실천하고자 하였다. 유학 관련 시들은 유학의 기본 개념과 원리를 이해하기 쉽게 풀이하고 있다. 또한, 유학의 가르침을 삶 속에서 실천하고자 하는 의지를 잘 보여주고 있다.

자연

 자연의 아름다움을 노래하고, 자연의 이치를 깨치고자 하였다. 그는 자연을 통해 삶의 진리를 발견하고, 자연 속에서 삶의 소중함을 일깨우고자 하였다. 자연 관련 시들은 자연의 아름다움을 생생하게 표현하고 있다. 또한, 자연의 이치를 깨치고자 하는 지향점을 잘 보여주고 있다.

인생

 인생의 무상함을 생각하며, 삶의 목표와 소신을 되새겼다. 그는 인생의 허무함을 깨닫고, 삶의 진정한 의미를 찾고자 하였다. 인생 관련 시들은 인생의 무상함을 절절하게 표현하고 있다. 또한, 삶의 목표와 소신을 되새기고자 하는 의지를 잘 보여주고 있다.

자신의 심경

 자신의 소신과 삶의 목표를 되새기며, 삶의 의미를 찾고자 하였다. 그는 자신의 심경을 통해 삶의 진정한 의미를 깨닫고자 하였다. 자신의 심경 관련 시들은 자신의 소신과 삶의 목표를 되새기는 모습을 잘 보여주고 있다.

결론

역리시(易理詩)는 선생의 생애와 학문, 그리고 문학적 역량을 잘 보여주는 작품집이다. 이 시집은 우리 문학사에서 중요한 위치를 차지하는 작품집으로, 후대의 학자들과 문인들에게 큰 영향을 미쳤다.
한편, 역리시(易理詩)의 제목은 주역의 출발부터 활용에 이르기까지 깊고 넓은 주역의 이치를 가지고 지은 시를 대표로 하고 있기 때문이다.

<제목 차례>

학생들에게 示諸生得疑字

일은 쉬운 데서 어려움을 알아야 하고,
학문은 의심 없는 데서 다시 의심해야 하네.
곡식이 잘 익듯 어진 마음도 익어야 하니,
구름이 개고 해가 밝으면 누가 의심할까.

事來易處知難處	사래이처	지난처
學到無疑便有疑	학도무의	변유의
穀要熟兮仁要熟	곡요숙혜	인요숙
雲開日朗復誰疑	운개일랑	부수의

감상평

병주(屛洲) 선생님께서는 제자들이 사서를 세 바퀴 마치고 난 후, 이 시를 통해 저에게 경각심을 일깨워 주셨습니다. 이 시는 일과 학문, 그리고 어진 마음에 관한 생각을 담고 있으며, 제게는 평생의 회초리와도 같은 시이다.

"일은 쉬운 데서 어려움을 알아야 하고"라는 말로 시작하는 데 일을 할 때는 처음에는 쉽다고 생각하는 부분에서도 어려움이 있다는 것을 깨달아야 한다. 그래야만 일을 제대로 해낼 수 있고, 더 나아가, 어려운 일도 해낼 수 있다.

병주(屛洲) 이종락(李鍾洛) 선생의 역리시(易理詩)

"학문은 의심 없는 데서 다시 의심해야 하네"라는 말로 이어지니, 학문을 할 때는 이미 알고 있는 것도 다시 의문을 가지고, 생각해봐야 한다. 그래야만 새로운 지식을 얻을 수 있고, 더 나아가 깊은 학문을 할 수 있다.

"곡식이 잘 익듯 어진 마음도 익어야 하니"라는 말로 시작하는 데 어진 마음은 곡식처럼 시간이 지나면서 서서히 익혀져야 한다. 하루 아침에 어진 사람이 될 수는 없으며, 꾸준한 노력과 실천이 필요하다.

"구름이 개고 해가 밝으면 누가 의심할까"라는 말로 끝맺는데, 어진 마음이 익으면 누구나 인정할 수 있다는 뜻이다. 어진 마음은 구름이 걷히고 해가 밝아지는 것처럼 자연스럽게 드러나기 때문이다.

이 시는 일과 학문, 그리고 어진 마음에 대한 선생의 깊은 통찰을 보여주는 작품이다. 선생은 이러한 생각을 바탕으로 자신의 삶을 살아가며 제자들의 존경 표상으로 자리매김했다.

이런저런 생각　擬古有所思

길, 하늘, 오랜 땅속에 흐르는 세상
까닭 없이 생각을 스스로 물어본다.
눈 크게 뜨고 멀리 바라보니
아득하고 아득해 끝이 없구나.
형체가 있어도 그 누가 살필 줄 알며
형체가 없어도 난 의심치 않으리.
하도(河圖) 낙서(洛書) 그 정교함을 드러내고
효사(爻辭) 단사(彖辭) 계사(繫辭)로 풀어냈네.

天	長	地	久	處	천	장	지 구	처
無	緣	問	所	思	무	연	문 소	사
極	目	憑	遠	眺	극	목	빙 원	조
茫	茫	無	際	涯	망	망	무 제	애
有	形	誰	能	察	유	형	수 능	찰
無	形	我	不	疑	무	형	아 불	의
河	洛	呈	其	巧	하	락	정 기	교
爻	彖	繫	之	辭	효	단	계 지	사

삼라만상의 도가 이에 따르고
충막(沖漠) 혼연하여 거짓이 없구나.
마치 돌 속에 옥이 들어 있듯
아직 흠이 없이 들어 있는 듯.
시험 삼아 오리와 학을 보더라도
길고 짧은 것이 얼마나 다르던가.
화려한 공적도 지나고 나면 돌이킬 수 없고
공자(孔子) 맹자(孟子)도 때를 만나지 못하셨다네.

森	羅	道	隨	在	삼	라	도	수	재
沖	漠	不	假	爲	충	막	불	가	위
譬	若	石	中	玉	비	약	석	중	옥
含	蓄	未	瑕	疵	함	축	미	하	자
試	看	鳬	與	鶴	시	간	부	여	학
短	長	不	啻	差	단	장	불	시	차
勳	華	去	不	返	훈	화	거	불	반
孔	孟	生	不	時	공	맹	생	불	시

천년의 세월 같은 법칙으로 한 가지
위대한 도는 조금도 모자람이 없다네.
아! 저 결(桀)과 주(紂)는
나라를 잃었으니 이 또한 슬프고,
예(羿)와 망(莽)도 본래 한 성품인데
어찌 잔인하게 재앙을 일으켰던가.
부귀(富貴)할 땐 제멋대로 즐기더니
빈천(貧賤)할 땐 또 탄식만 거듭하네.

千	載	同	一	揆	천	재	동	일	규
大	道	無	欠	虧	대	도	무	흠	휴
吁	彼	桀	與	紂	우	피	걸	여	주
喪	師	亦	堪	悲	상	사	역	감	비
羿	莽	一	其	性	예	망	일	기	성
胡	忍	動	禍	機	호	인	동	화	기
富	貴	旣	恣	橫	부	귀	기	자	횡
貧	賤	又	咨	嗟	빈	천	우	자	차

너와 나
똑같이 무덤으로 갈 뿐이니
운명의 주인은 그 누구인가.
이 생각 묵묵히 깨닫고는
책을 열어 조용히 읽고 있다네.
세상 사람들아!
얻거나 잃거나 기쁘거나 슬프거나
털끝만 한 사욕(邪慾)도 용납 못 하니
나를 위해 마땅히 할 일뿐이니
이 마음 문득 저절로 평안하네.

同	歸	土	宰	已	동	귀	토	재	이
大	命	主	者	誰	대	명	주	자	수
此	意	在	黙	會	차	의	재	묵	회
開	卷	靜	亦	宜	개	권	정	역	의
得	喪	欣	戚	間	득	상	흔	척	간
莫	容	一	毫	私	막	용	일	호	사
爲	我	當	爲	底	위	아	당	위	저
此	心	便	自	夷	차	심	변	자	이

감상평

이 시의 주제는 크게 두 가지로 나눌 수 있다. 첫째는 우주의 근원과 도에 대한 탐구이고, 둘째는 인생의 무상함과 삶의 태도에 대한 성찰이다.

시인은 길, 하늘, 땅이라는 자연의 모습을 바라보며 우주의 근원과 도의 존재에 대해 끊임없이 질문한다. 하도(河圖)와 낙서(洛書)라는 고대의 도서를 통해 우주의 이치를 깨닫고자 하지만, 그 본질은 알 수 없는 신비로운 존재로 여겼다. 그런데도 시인은 우주의 이치가 충막 혼연하여 거짓이 없음을 믿고, 그 속에서 삶의 의미를 찾아보았다.

인생의 무상함에 대한 성찰은 시의 후반부에 집중적으로 드러난다. 시인은 오리와 학의 길고 짧은 목처럼, 세상의 모든 존재는 각자의 운명을 타고난다고 말한다. 공자와 맹자처럼 위대한 성인도 시대를 잘못 만나면 그 뜻을 펼칠 수 없음을 깨닫고, 결과 주처럼 패망한 왕조의 비극을 안타까워한다.

시인은 삶의 태도에 대해 다음과 같이 말한다. 너와 나 모두 결국 무덤으로 갈 뿐이니, 운명의 주인은 누구도 아니라는 것이다. 이러한 깨달음을 통해 시인은 얻거나 잃거나 기쁘거나 슬프거나, 사욕을 버리고 자신의 길을 묵묵히 걸어가기로 결심한다.

이 시를 통해 시인은 우주의 근원과 도의 존재를 탐구하고, 인생의 무상함과 삶의 태도에 대해 성찰하는 모습이 보인다. 이러한 시인의 통찰은 오늘날에도 여전히 유효한 의미가 있다.

흩어지는 바람과 구름 遠眺

하늘을 가로지르는 새, 바람처럼 사라지고
강을 건너는 구름, 담담히 사라지려 하네.
사물에 닿아 깨달음은 마음의 변화니
하도(河圖)는 풍수화(輞川圖)가 아니라네.

橫空高鳥飄如逸　횡공고조　표여일
度水閒雲淡欲無　도수한운　담욕무
觸物會心心上易　촉물회심　심상역
河圖不是輞川圖　하도불시　망천도[1]

---

[1] <輞川圖>는 盛唐의 시인화가 王維(701~761)가 藍田에 있는 그의 별업을
이룬 경물을 시로 읊고, 그것을 그림으로 묘사한 것이다. 輞川은 왕유의
은일사상과 산수에 대한 농후한 흥취와 애착을 토로하는 창작의 주요
장소였다.

감상평

시인은 자연 속에서 벌어지는 휘몰아치는 변화를 표현한다. 새가
하늘을 가로질러 사라지고, 구름이 강을 건너며 점점 사라져가려
한다. 이를 통해 불안정한 세계와 우리의 존재의 불합리함에 대한
은유적인 상상력이 전해진다. 그리고 사물에 닿아 깨닫게 되는
깨달음은 마음의 변화를 의미한다. 하도(河圖)와 풍수(風水)화에
대한 언급은 유명한 중국 역사적 기록과 관련하여, 그들이 실제로
일어난 사건보다 오히려 상징적인 의미를 지니고 있다고 말하며
현실과 추상적인 요소 간의 대조를 나타낸다. 이 시는 자연의
순환과 인간 내면의 변화에 관한 생각을 담아내며, 현대사회에서
느끼는 불안정성과 우리 자신의 내면 성찰에 대해 생각할 수 있도록
유발한다.

천지 생성의 이치 讀易吟

가만히 천지 생성의 이치를 살피면
복희 팔괘 단사(彖辭)의 뜻을 알게 되리라.
천태만상 세상에 조금의 빈틈이 없으니
예로부터 지금까지 절로 굽이친다네.
주역이 유리옥(羑里獄)에서 일어난 게 언제인가?
음이 극에 달하면 양이 돌아온다네.
아득한 도리를 말하기 쉽지 않아
산 위에나 물가에서조차 머뭇거리네.

靜觀天地生成理	정관천지	생성리
要識羲文卦彖書	요식희문	괘단서
萬態千情無罅隙	만태천정	무하극
始今終古自紆餘	시금종고	자우여
易興羑里曾何世	역흥유리	증하세
陽復純坤可得輿	양복순곤	가득여
至道窈冥談未易	지도요명	담미이
山樊水滸却躊躇	산번수호	각주저

감상평

시인은 천지 생성의 이치를 살피면 복희 팔괘 단사의 뜻을 알게 된다고 말한다. 천태만상 세상에는 조금의 빈틈도 없기 때문에 예로부터 지금까지 절로 굽이쳐 왔다고 한다. 주역이 유리에서 일어난 것은 언제인지 알 수 없지만, 음이 극에 달하면 양이 돌아온다고 한다. 아득한 도리를 말하기 쉽지 않아 산 위에나 물가에서도 머뭇거린다고 한다. 이 시는 도(道)의 의미를 탐구하는 시이다. 시인은 천지 생성의 이치, 천태만상 세상의 흐름, 주역의 원리 등을 통해 도에 대해 생각한다. 그리고 도에 대한 이해가 쉽지 않음을 토로한다.

천지 생성의 이치를 살피면 복희 팔괘 단사의 뜻을 알게 된다고 말한다. 복희 팔괘 단사(彖辭)는 우주 만물의 변화와 생성의 원리를 담은 상징이다. 시인은 천지 생성의 이치를 이해하면 복희 팔괘 단사의 뜻을 알게 될 것이라고 말한다. 천태만상 세상에는 조금의 빈틈도 없어서 예로부터 지금까지 절로 굽이쳐 왔다고 말한다. 천태만상 세상은 복잡하고 변화무쌍하다. 하지만 그 속에는 일정한 법칙이 존재한다. 시인은 천태만상 세상에 조금의 빈틈도 없어서 예로부터 지금까지 절로 굽이쳐 왔다고 말한다. 주역이 유리에서 일어난 것은 언제인지 알 수 없지만, 음이 극에 달하면 양이 돌아온다고 말한다. 주역은 우주 만물의 변화와 생성의 원리를 담은 책이다. 시인은 주역이 언제 유리에서 일어났는지 알 수 없지만, 음이 극에 달하면 양이 돌아온다는 원리는 변함없다고 말한다. 아득한 도리를 말하기 쉽지 않아 산 위에나 물가에서도 머뭇거린다고 말한다. 도는 우주 만물의 근원적인 이치이다. 도에 대한 이해는 쉽지 않다. 시인은 아득한 도리를 말하기 쉽지 않아 산위에나 물가에서도 머뭇거린다고 말한다.

하도(河圖) 01 河圖吟

용마(龍馬)가 언제 짊어졌는지
포희(包犧) 신농(神農)씨가 그린 괘와 효
하늘과 땅과 사람은 하나
때와 곳에 따라 달라지는 것은 없다.
진정한 비결을 찾으려면
공자(孔子)를 스승으로 삼고
소강절(邵康節)의 설명을 깨달아야 하네
공부는 고상(高尙)하고 신묘할 필요 없고
내 몸에서 그 원칙을 찾아내야 한다네

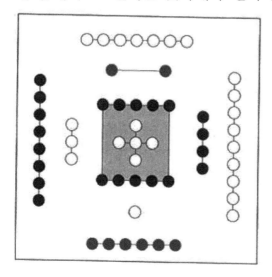

龍馬何年負此圖ㅇ　용마하년　부차도
包犧神聖卦分爻라　포희신성　괘분효
參天參地人爲一하니　참천참지　인위일
隨處隨時道不殊라　수처수시　도불수

要把眞詮師魯聖하고　요파진전　사노성
且將運會說堯夫라　차장운회　설요부
用工豈必高而妙리오　용공기필　고이묘
法象無如近取吾를　법상무여　근취오

감상평

이 시는 주역의 출발인 하도(河圖)를 재해석하고 있다.

원시시대부터 전해 내려오는 괘와 효를 통해 하늘과 땅과 사람이 하나임을 수 있다. 용마는 하늘을 상징하고, 괘와 효는 만물을 구성하는 기본 원리를 상징한다. 따라서 용마가 짊어지고 있는 괘와 효는 하늘과 땅과 사람이 하나임을 보여주는 증거라고 할 수 있다.

하늘과 땅과 사람이 하나라는 사실을 다시 한번 수 있다. 하늘과 땅과 사람은 각각 독립된 존재가 아니라, 하나의 유기적인 관계를 이루고 있다. 따라서 때와 곳에 따라 달라지는 것은 없으며, 하늘과 땅과 사람은 언제나 하나임을 알 수 있다.

진정한 비결을 찾기 위해서는 공자와 소강절의 가르침을 따르라는 내용이다. 공자는 인(仁)과 의(義)를 강조한 유가의 대표적인 사상가이고, 소강절은 도가와 유가를 종합한 성리학의 대표적인 사상가이다. 따라서 공자와 소강절의 가르침을 통해 진정한 비결을 찾을 수 있다고 할 수 있다.

공부에 고상함과 신묘함이 필요 없다는 내용이다. 공부는 고상한 이론이나 신묘한 비법을 배우는 것이 아니라, 내 몸과 마음속에서 진리를 발견하는 과정이라고 할 수 있다. 따라서 공부는 내 몸과 마음속에서 그 원칙을 찾아내야 한다는 것이다.

하늘과 땅과 사람은 하나라는 것은, 인간은 자연과 분리된 존재가 아니라, 자연 일부분이라는 것을 의미한다. 따라서 인간은 자연과 조화를 이루며 살아야 한다는 것이다.

진정한 비결을 찾기 위해서는 공자와 소강절의 가르침을 따르라는 것은, 인간은 자신의 이성만으로 진리를 발견할 수 없으며, 다른 사람의 가르침과 경험을 통해서도 배울 수 있다는 것을 의미한다.

공부에 고상함과 신묘함이 필요 없다는 것은, 공부는 지식을 쌓는 것이 아니라, 삶을 살아가는 방법을 배우는 과정이라는 것을 의미한다. 따라서 공부는 내 몸과 마음 속에서 진리를 발견하는 과정이어야 한다는 것이다.

하도(河圖) 02 河圖吟

용마(龍馬)가 지고 나온 그림
하늘과 땅, 사람이 하나
자연과 인간, 하나의 도
시대와 공간을 넘어서
강유(剛柔)의 요체를 잡고
공자의 가르침을 따르니
소강절(邵康節)의 설명도 필요 없네.
실용적인 공부는
멀리서 찾을 필요 없네.
사람에게서 법칙을 찾고
자신에게서 답을 찾는다네.

龍馬何年負此圖　용마하년　부차도
包羲畫卦又分爻　포희획괘　우분효
參天參地人爲一　참천참지　인위일
隨處隨時道豈殊　수처수시　도기수
要把剛柔師魯聖　요파강유　사노성
何須運會說堯夫　하수운회　설요부
用工不是高而遠　용공불시　고이원
觀法於人反在吾　관법어인　반재오

감상평

자연과 인간의 조화

이 시는 하늘과 땅과 사람이 하나라는 도가의 기본 사상을 바탕으로 하고 있다. 이는 자연과 인간이 별개의 존재가 아니라, 서로 연결되어 하나의 조화를 이루고 있다는 의미이다. 현대사회에서 우리는 자연과 점점 더 멀어지고 있다. 도시화와 산업화로 인해 자연은 파괴되고, 인간은 자연과 단절된 삶을 살아가고 있다. 이 시는 이러한 현대 사회에 자연과 인간의 조화를 강조하고 있다.

강유(剛柔)의 요체를 잡는 삶

이 시는 강유(剛柔)의 요체를 잡고 공자의 가르침을 따르면, 진정한 삶을 살 수 있다는 내용을 담고 있다. 강유(剛柔)는 만물을 구성하는 두 가지 기본 원리로, 강은 딱딱하고 단단한 것을, 유는 부드럽고 유연한 것을 의미한다. 따라서 강유의 요체를 잡는다는 것은, 만물의 본질을 이해하고 삶을 살아가는 데 필요한 지혜를 얻는 것을 의미한다. 현대사회는 급변하는 시대이다. 우리는 변화하는 상황에 적응하고 살아가기 위해 강인한 정신력과 유연한 사고력이 있어야 한다. 이 시는 이러한 현대사회에서 강유(剛柔)의 요체를 잡는 삶의 중요성을 강조하고 있다.

실용적인 삶의 지혜

이 시는 실용적인 공부를 통해 삶을 살아가는 방법을 배우라는 내용을 담고 있다. 실용 공부는 삶을 살아가는 데 필요한 지식과 기술을 배우는 것을 의미한다. 따라서 실용 공부는 나 자신에게 도움이 되는 것들이어야 한다. 나 자신에게 도움이 되는 공부를 하기 위해서는, 자신의 욕구와 필요를 잘 이해해야 한다. 현대사회에서 우리는 다양한 분야에서 경쟁하고 있다. 우리는 경쟁에서 살아남기 위해 실용적인 삶의 지혜가 있어야 한다. 이 시는 이러한 현대사회에서 실용적인 공부의 중요성을 강조하고 있다.

천지 생성의 이치 河圖吟 03

천지 생성의 이치(理致) 가만히 살펴보니
복희 문왕의 괘획(卦劃) 그림이 필요하구나.
지극한 이치(理致), 주역을 말할 사람 없어
산자락 물가에서 머뭇거리네.

靜觀天地生成理　정관천지　생성리
要識羲文卦畫圖　요식희문　괘획도
至理無人談說易　지리무인　담설역
山樊水滸却踟躕　산번수호　각지주

감상평

이 시는 천지 생성의 이치를 탐구하는 시인과 주역의 깊은 뜻을 깨우치고자 하는 시인의 모습을 담고 있다.

천지 생성의 이치를 탐구하는 시인의 모습이 보인다. 시인은 천지 생성의 이치를 가만히 살펴보지만, 그 이치를 완전히 이해하지 못한다. 따라서 복희와 문왕이 그린 괘획(卦劃) 그림이 필요하다고 생각한다.

주역의 깊은 뜻을 깨우치고자 하는 시인의 모습이 보인다. 시인은 주역의 지극한 이치를 말할 사람이 없어 산자락 물가에서 머뭇거리고 있다. 시인은 주역의 뜻을 깨우치기 위해 노력하지만, 그 뜻이 너무나도 깊고 복잡하여 어려움을 겪고 있다.

이 시를 통해 우리는 천지 생성의 이치와 주역의 깊은 뜻에 대한 시인의 고민과 노력을 엿볼 수 있다. 또한, 시인의 탐구 정신과 지혜에 감탄할 수 있다.

도(道)의 근원

삼라만상(参羅萬像)이 펼쳐있어
하나의 근원을 찾을 수 있다.
하나씩 공부하여 깨달음에 이르면
도(道)에 어긋나는 것은 없으리라.
공(空)이나 무(無)를 부르짖는
노자나 불가, 과연 실효가 있을까.
묵가(墨家) 또한 근본이 둘이니
박애(博愛)를 외치면서 갈림길에 서서 탄식하나.

森	羅	萬	象	在	삼 라	만	상	재
一	原	按	可	推	일 원	안	가	추
下	學	而	上	達	하 학	이	상	달
道	無	毫	髮	差	도 무	호	발	차
喚	作	空	與	無	환 작	공	여	무
老	佛	竟	何	爲	노 불	경	하	위
墨	氏	又	二	本	묵 씨	우	이	본
博	愛	悲	見	岐	박 애	비	견	기

감상평

이 시는 우주와 인간의 본질에 대한 그의 사상을 담고 있다.

시의 첫 부분에서 삼라만상이 펼쳐져 있으니 그 근원을 찾을 수 있다고 말한다. 이는 우주와 인간은 하나의 근원을 가지고 있다는 의미이다. 하나씩 공부하여 깨달음에 이르면 도에 어긋나는 것은 없다고 말한다. 이는 깨달음을 통해 우주와 인간의 근원을 파악할 수 있다는 의미이다. 두 번째 부분에서 노자와 불가가 공이나 무를 부르짖는다고 비판한다. 이는 공이나 무는 근원을 파악하는 데 도움이 되지 않는다는 의미이다. 묵가 또한 근본이 둘이니 박애를 외치면서 갈림길에 서서 탄식한다고 말한다. 이는 묵가의 박애 사상이 실천에 옮겨지기 어렵다는 의미이다.

이 시는 유학자 병주(屛洲) 선생의 사상을 잘 보여주는 작품이다. 병주 선생은 우주와 인간은 하나의 근원을 가지고 있다는 유일신 사상이 드러난다. 그는 공이나 무와 같은 불교적 사상이 우주와 인간의 근원을 파악하는 데 도움이 되지 않는다고 생각했다. 또한, 묵가의 박애 사상이 실천에 옮겨지기 어렵다고 생각했다.

산행 山行感興

산에 가는 사람 생각에 빠져
산길을 걷는 발걸음이 더디다.
멧부리를 지나가는 구름을 보며
구름 너머에는 누가 있을까.

山	人	有	所	思	산	인	유	소	사
山	行	步	步	遲	산	행	보	보	지
時	看	度	嶺	雲	시	간	도	수	운
雲	出	更	屬	誰	운	출	갱	속	수

감상평

시인은 산에 가는 사람을 통해 삶의 소중함과 도(道)를 추구하는 삶
에 대해 생각한다. 산에 가는 사람은 삶의 목적을 찾고자 하는 사람
으로 해석할 수 있다. 시인은 산에 가는 사람의 발걸음이 더디다는
점을 통해 삶의 소중함과 도(道)를 추구하는 삶의 어려움을 표현한
다. 구름을 통해 삶의 무상함과 도(道)의 신비함을 생각한다. 구름은
언제 어디로 사라질지 알 수 없는 존재이다. 시인은 구름을 통해 삶
의 무상함과 도(道)의 신비함을 표현한다.

날다 지친 저 새는
왜 묵은 가지를 그리워하는가.
장자는 멋대로 자연의 소리를 듣고
묵자는 갈림길에서 슬퍼했다.

睠	彼	倦	飛	鳥	권	피	권	비	조
云	胡	戀	故	枝	운	호	연	고	지
莊	生	漫	聽	籟	장	생	만	청	뢰
墨	子	悲	臨	歧	묵	자	비	임	기

감상평

새를 통해 삶의 고단함과 도(道)의 편안함을 생각한다. 날다 지친 새
는 묵은 가지를 그리워한다. 묵은 가지는 편안하고 안정된 공간을
상징한다. 시인은 새를 통해 삶의 고단함과 도(道)의 편안함을 표현
한다.

장자와 묵자를 통해 도(道)를 추구하는 삶의 다양한 모습에 대해
생각한다. 장자는 자연의 소리에 따라 자유롭게 살아가는 삶을 추구
했고, 묵자는 갈림길에서 옳고 그른 것을 구분하며 살아가는 삶을
추구했다. 시인은 장자와 묵자를 통해 도(道)를 추구하는 삶의 다양
한 모습을 표현한다.

우르릉우르릉 폭포가 쏟아지는 소리
아찔아찔 깎아지른 절벽
세상이 이리 어지러운데
저 아찔한 잔도를 어떻게 건너갈까.

轟	轟	飛	瀑	響	굉	굉	비	폭	향
巖	巖	絶	壁	危	암	암	절	벽	위
天	地	猶	跼	蹐	천	지	유	국	척
棚	棧	將	何	之	붕	잔	장	하	지

감상평

세상의 혼란스러움과 도(道)를 추구하는 삶의 어려움에 대해 생각
한다. 폭포와 절벽은 세상의 혼란스러움을 상징한다. 시인은 세상의
혼란스러움 속에서 도(道)를 추구하는 삶의 어려움을 표현한다.

완숙함이 중요하니
양의 창자처럼 구불구불해도 평이하네.
만물 속에 도가 없는 것은 없으니
만물을 대함에 각기 마땅함을 따르리라.

要	心	完	且	熟	요	심	완	차	숙
羊	腸	視	平	夷	양	장	시	평	이
在	物	罔	非	道	재	물	망	비	도
處	物	各	隨	宜	처	물	각	수	의

감상평

완숙함의 중요성과 도(道)를 추구하는 삶의 여정에 대해 생각한다.
양의 창자는 완숙함을 상징한다. 시인은 완숙함의 중요성과 도(道)를
추구하는 삶의 여정을 표현한다.

하나로 꿰어져 있으니
곳곳마다 만 가지를 미루어 알 수 있네.
위대하구나! 포희(包犧)의 주역이여
어둠 속에서 밝은 빛을 비추네.

渾	然	一	理	貫	혼	연	일	리	관
在	在	萬	彙	推	재	재	만	휘	추
大	哉	包	羲	易	대	재	포	희	역
人	文	未	朗	時	인	문	미	랑	시

감상평

만물의 통일성과 도(道)를 추구하는 삶의 실천에 대해 생각한다. 만
물은 하나의 근원으로부터 나왔다고 한다. 시인은 만물의 통일성과
도(道)를 추구하는 삶의 실천을 표현한다.

우주 만물의 통일성과 도(道)의 원리를 생각한다. 주역은 우주 만물
의 원리를 담은 책이다. 시인은 주역을 통해 우주 만물의 통일성과
도(道)의 원리를 표현한다.

중고 시대에 우환(憂患)이 많았으니
위태로운 유리(羑里) 감옥의 말씀이여.
공자께서 도리를 말씀하시니
정녕 나를 속일 수는 없으리라.

中	古	多	憂	患	중	고	다	우	환
危	哉	羑	里	辭	위	재	유	리	사
魯	叟	說	道	理	노	수	설	도	리
丁	寧	豈	余	欺	정	녕	기	여	기

감상평

중고 시대의 혼란스러움과 도(道)를 추구하는 삶의 어려움에 대해
생각한다. 유리 감옥은 세상의 혼란스러움을 상징한다. 시인은 중고
시대의 혼란스러움 속에서 도(道)를 추구하는 삶의 어려움을 표현한
다.

공자의 도덕적 가르침과 도(道)의 실천에 대해 생각한다. 공자는 도
리를 가르쳤는데, 선생은 공자의 도덕적 가르침과 도(道)의 실천을
표현한다.

무극옹(無極翁)이여,
진심으로 후세를 깨우치셨네.
번거로운 것을 간략히 전하시니
궁구함에 크게 잘못이 없을 것이네.

亦	厥	無	極	翁	역	궐	무	극	옹
珍	重	覺	後	知	진	중	각	후	지
傳	義	殊	煩	簡	전	의	수	번	간
究	竟	不	是	差	구	경	불	시	차

감상평

 무극옹(無極翁)의 도(道)에 대한 가르침과 도(道)의 실천에 대해 생각한다. 무극옹은 간결한 가르침을 통해 도(道)를 전했는데, 선생은 무극옹(無極翁)의 도(道)에 대한 가르침과 도(道)의 실천을 표현한다.

이 뜻을 누가 나누어 주랴.
문간으로 바람만 불어오네.
고전 언덕처럼 쌓인 글
집으로 가는 길에 또 읊조리네.

此	意	共	誰	言	차	의	공	수	언
颼	颼	閭	風	吹	수	수	낭	풍	취
塵	編	堆	積	案	진	편	퇴	적	안
歸	家	且	唔	咿	귀	가	차	오	이

감상평

도(道)의 뜻을 나누어줄 사람을 찾지만 찾을 수 없다는 점을 표현
한다. 시인은 도(道)의 뜻을 나누어줄 사람을 찾기 위해 고전의 가르
침을 읊조린다.

이 시의 주제는 삶의 의미와 도(道)에 대한 것이다. 시인은 산에 가
는 사람을 통해 삶의 소중함과 도(道)를 추구하는 삶에 대해 생각한
다. 또한, 다양한 사상과 문헌을 통해 도(道)에 대한 이해를 심화하
고, 도(道)를 추구하는 삶의 어려움과 실천에 대해 고민한다.

우주 答人問易占

오늘 비가 올 줄 그 누가 알겠는가?
내일 아침 꼭 갠다고 말할 수도 없네.
주역의 도는 늘 변화무쌍하여
마음이 공정하면 이치는 절로 밝아진다네

孰	知	今	日	雨	숙	지	금	일	우
不	說	翌	朝	晴	불	설	익	조	청
易	道	惟	常	變	역	도	유	상	변
心	公	理	自	明	심	공	이	자	명

감상평

이 시의 제목은 "도(道)"이다. 시인은 비가 올지 안 올지, 내일 아침이 개는지 안 개는지 알 수 없다고 말한다. 이는 우주의 변화무쌍함을 나타낸다. 주역의 도는 늘 변화무쌍하지만, 마음이 공정하면 이치는 절로 밝아진다고 말한다. 이는 공정한 마음으로 우주의 변화를 관조하면, 이치를 이해할 수 있다는 의미이다.

이 시는 우주의 변화무쌍함과 공정한 마음의 중요성을 강조하는 작품이다. 시인은 우주는 늘 변화하고 있으며, 이러한 변화를 이해하기 위해서는 공정한 마음이 필요하다고 말한다. 공정한 마음으로 우주의 변화를 관조하면, 이치를 이해하고 삶을 살아가는 지혜를 얻을 수 있다고 생각한 것이다.

지극한 도 敬字吟

한 마음으로 하늘을 대하면
경(敬)이 주체가 되고
지극한 도는 티끌 없이 담담하네
하늘과 땅은 말없이 생명을 기르니
뛰는 물고기 나는 새, 바로 그 모습
자연 그대로라네

一心對越敬爲主	일심대월	경위주
至道渾淪淡無滓	지도혼륜	담무재
乾坤不語畜君生	건곤불어	축군생
魚躍鳶飛機自爾	어약연비	기자이

감상평

이 시는 우주와 인간의 관계에 대한 그의 사상을 담고 있다.

한마음으로 하늘을 대하면 경(敬)이 주체가 된다. 이는 우주를 경건한 마음으로 대하면, 우주의 이치를 이해할 수 있다는 의미이다. 지극한 도는 티끌 없이 담담하다고 말한다. 이는 우주의 이치는 순수하고 간결하다는 의미이다. 두 번째 부분에서 하늘과 땅은 말없이 생명을 기른다고 말한다. 이는 우주는 생명에 대한 깊은 사랑으로 가득 차 있다는 의미이다. 뛰는 물고기 나는 새, 바로 그 모습은 자연 그대로라고 말한다. 이는 자연은 우주의 이치를 그대로 드러내고 있다는 의미이다. 이 시는 우주와 인간의 관계에 대한 깊은 통찰을 보여주는 작품이다. 선생은 우주는 생명에 대한 사랑으로 가득 차 있으며, 인간은 우주의 이치를 이해하고, 자연과 조화를 이루며 살아야 한다고 생각했다. 우주를 경건한 마음으로 대하는 것, 이는 우주의 이치를 이해하기 위한 첫걸음이라고 생각한다. 우주를 경건한 마음으로 대하면, 우주에 대한 깊은 사랑과 존경심을 느낄 수 있다. 이러한 마음가짐으로 우주를 바라보면, 우주의 이치를 더 잘 이해할 수 있을 것이다.

자연은 우주의 이치를 그대로 드러내고 있다. 뛰는 물고기 나는 새의 모습은 자연의 순수함과 아름다움을 보여준다. 이러한 자연의 모습에서 우리는 우주의 이치를 발견할 수 있다. 이 시를 통해 우리는 우주와 인간의 관계에 대해 다시 한번 생각해 볼 수 있다. 우주는 생명에 대한 사랑으로 가득 차 있으며, 인간은 우주의 이치를 이해하고, 자연과 조화를 이루며 살아야 한다는 것을 깨닫게 한다.

형체(形體) 形字再疊

사람은
태어나자마자 그 형체를 받으니
어찌 그 형체를 실천하지 않으리오.
윤리에 어긋나는 박애(博愛)는
그저 탐욕의 가면일 뿐이니
십자가에 숨긴 탐욕 우습게 여기노라.

直以爲生受以形　　직 이 위 생　수 이 형

最靈曷不踐其形　　최 령 갈 불　천 기 형

斁倫博愛何爲者　　두 륜 박 애　하 위 자

笑彼貪心十字形　　소 피 탐 심　십 자 형

감상평

이 글은 사람이 태어날 때부터 가지고 있는 본성을 실천해야 한다는 메시지를 담고 있다. 사람은 누구나 고유한 형체를 가지고 태어나며, 그 형체에 따라 타고난 재능과 능력을 갖추고 있다. 따라서 사람은 자신의 형체를 실천하여 타고난 재능과 능력을 발휘해야 한다는 것이다.

윤리에 어긋나는 박애는 그저 탐욕의 가면일 뿐이라는 말은, 타인을 도우려는 마음이 아니라 자신의 이익을 위해 타인을 이용하려는 마음에서 비롯된 박애는 진정한 박애가 아니라는 것이다. 십자가에 숨긴 탐욕은 종교나 도덕을 이용하여 자신의 탐욕을 채우려는 것은 전혀 옳지 않다는 것이다.

이 글은 인간 본성과 윤리, 그리고 종교에 대한 통찰을 담고 있는 것으로 볼 수 있다. 사람은 누구나 고유한 형체를 가지고 태어나며, 그 형체에 따라 타고난 재능과 능력을 갖추고 있다. 따라서 사람은 자신의 형체를 실천하여 타고난 재능과 능력을 발휘해야 한다. 또한, 타인을 도우려는 마음은 진실해야 하며, 종교나 도덕을 이용하여 자신의 탐욕을 채우려는 것은 전혀 옳지 않다는 것이다.

주역을 읽고 讀易夜坐

주역을 읽느라 밤이 깊어 가는데
책상 앞에 앉아 생각하고 또 생각하네!
부추겨 올리고 강제로 누르는
성인의 마음을 이해하고도
깊은 뜻은 참으로 알기 어렵구나!
꽁꽁 얼음은 서리 내릴 때 시작되고
큰 열매는 따 먹지 않고 남겨 두네
혼란이 심해지면 질서가 생김을 알 수 있으니
세상사 무질서하다고 핑계 대지 말라

羲經讀罷夜遲遲	희경독파 야지지
靜坐床頭繹又思	정좌상두 역우사
扶抑聖心要會得	부억성심 요회득
幾微密處理難知	기미밀처 이난지
堅氷必自履霜日	견빙필자 이상일
碩果猶存不食時	석과유존 불식시
亂極治生從可驗	난극치생 종가험
休言世故苦支離	휴언세고 고지리

감상평

이 글은 주역을 공부하는 사람의 고뇌와 깨달음을 담고 있다.
주역은 중국의 고대 경전으로, 우주와 인간의 삶에 대한 통찰을
담고 있다. 이 글의 주역을 공부하면서 성인의 마음을 이해하고자
노력하지만, 그 깊은 뜻을 알기 어렵다는 고뇌를 토로하고 있다.

꽁꽁 얼음은 서리 내릴 때 시작되고, 큰 열매는 따 먹지 않고 남겨
두는 것은 주역의 괘인 '돈(돈, 遯)'과 '익(익, 益)'을 상징한다. 돈
괘는 쇠퇴와 혼란을, 익 괘는 성장과 발전을 의미한다. 혼란과 무질
서가 바로 질서가 시작되는 과정임을 깨닫고, 세상사가 무질서하다
고 핑계를 대지 말 것을 다짐한다.

이 글은 주역의 깊은 뜻을 이해하기 위해서는 끊임없는 노력과 성찰
이 필요하다는 메시지를 담고 있다. 또한, 혼란과 무질서는 오히려
새로운 질서의 시작임을 깨닫고, 세상을 바라보는 시각을 바꾸어야
한다고 일깨워 준다.

주역은 우주와 인간의 삶에 대한 통찰을 담고 있는 고대의 지혜(智
慧)서이다. 주역을 공부하는 것은 단순히 지식을 쌓는 것 이상의 의
미가 있다. 주역을 통해 우리는 세상을 바라보는 새로운 시각을 얻
고, 삶의 의미와 목적을 찾을 수 있다.

혼란과 무질서는 오히려 새로운 질서의 시작임을 깨달아야 한다. 혼
란은 변화의 신호이다. 혼란 속에서 새로운 질서가 생겨나기 위해서
는 끊임없는 노력과 성찰이 필요하다.

눈 내린 날의 독서 冬日偶吟

뜨락 가득 눈이 쌓여 대문까지 가려졌으니,
서재에서 책을 꺼내어 세밀히 읽네.
요순의 시대 태평성대도 모습은 문장에 남아 있고,
공맹(孔孟)의 훌륭한 가르침은 천추(千秋)에 통하네.
사람 마음이 고금이 다르다고 말하지 마라.
하늘의 운행은 절로 순환됨을 알 수 있으니.
학문이란 무엇보다 노력하는 것이니
우물을 파고 산을 쌓는 것과 같은 이치(理致)라네.

白雪盈庭掩竹關	백설영정	엄죽관
芸窓抽卷細推看	운창추권	세추간
唐虞何世餘文具	당우하세	여문구
孔孟千秋立防閑	공맹천추	입방한
莫道人心異今古	막도인심	이금고
要知天運自循環	요지천운	자순환
進工最是宜努力	진공최시	의노력
掘井爲山只一般	굴정위산	지일반

감상평

이 글은 눈 내리는 겨울날, 서재에서 책을 읽으며 고금의 지혜를 되새기는 화자의 모습을 담고 있다.

눈이 쌓여 대문까지 가려진 뜨락을 바라보며, 요순의 시대 태평성대와 공맹의 훌륭한 정치를 떠올린다. 요순은 중국 신화에 나오는 전설적인 군주로, 공맹은 중국 고대의 사상가로, 각각 태평성대와 훌륭한 정치를 상징한다. 이러한 고금의 지혜를 통해 사람 마음이 고금이 다르지 않다는 것을 깨닫는다.

또한, 학문이란 무엇보다 노력하는 것이 중요하다고 말한다. 우물을 파고 산을 쌓는 것은 장시간의 노력이 필요한 일이지만, 그 결과는 오래도록 지속된다. 마찬가지로, 학문도 꾸준한 노력을 통해 얻을 수 있는 것이다.

이 글은 고금의 지혜를 통해 삶의 의미와 가치를 되새길 수 있다. 고금의 지혜는 시대를 초월하여 인간의 삶에 대한 통찰을 제공한다. 이를 통해 우리는 삶의 의미와 가치를 되새기고, 더 나은 삶을 살아갈 수 있다.

학문은 무엇보다 노력하는 것이 중요하다. 학문은 단순히 지식을 쌓는 것 이상의 의미가 있다. 학문을 통해 우리는 세상을 바라보는 새로운 시각을 얻고, 삶의 의미와 목적을 찾을 수 있다.
이 글을 통해 여러분은 학문의 중요성과 노력의 가치에 대해 새로운 생각을 가졌기를 바란다.

역경(易經)의 지혜 春日書懷

거친 비가 땅을 다 잠기운 듯 내려와
뽕나무밭은 도랑물이 흐르네.
평안할 때 토끼처럼 세 가지 굴을 파야지.
뱁새가 한 나무에 둥지를 짓는 것은 어리석은 짓
작은 쇳덩이처럼 마음이 굳게 버티면
외부의 힘은 아무리 커도 흔들리지 않는 법
험난함과 평탄함은 다른 길이 아니니
자신을 돌아보고 찾는 것이 중요한 일이지.

蠻	雨	方	沈	陸	만	우	방	침	륙
桑	田	已	變	潮	상	전	이	변	조
居	安	三	窟	兎	거	안	삼	굴	토
計	拙	一	枝	鷦	계	졸	일	지	초
寸	鐵	心	如	固	촌	철	심	여	고
萬	鍾	物	豈	搖	만	종	물	기	요
險	夷	無	異	轍	험	이	무	이	철
要	在	反	求	吾	요	재	반	구	오

감상평

이 글은 거센 비가 내리는 궂은 날씨 속에서, 삶의 지혜를 얻는 화자의 모습을 담고 있다.

거센 비를 보며, 평안할 때 토끼처럼 세 가지 굴을 파야 한다는 사실을 깨닫는다. 뱁새가 한 나무에 둥지를 짓는 것은 어리석은 일이라는 것이다. 이는, 삶은 언제나 예측할 수 없어서, 평안할 때도 대비해야 한다는 것을 의미한다.

또한, 작은 쇳덩이처럼 마음이 굳게 버티는 것이 중요하다고 말한다. 외부의 힘은 아무리 커도, 마음이 굳게 버티면 흔들리지 않는다는 것이다. 이는, 삶의 어려움을 극복하기 위해서는 강한 정신력이 필요하다는 것을 의미한다.

마지막으로, 험난함과 평탄함은 다른 길이 아니라고 말한다. 삶은 험난한 길과 평탄한 길이 공존한다는 것이다. 따라서, 자신을 돌아보고 찾는 것이 중요한 일이라는 것이다. 이는, 삶의 의미와 목적을 찾기 위해서는 자신을 깊이 들여다보는 것이 필요하다는 것을 의미한다.

이 글은 삶의 지혜를 담고 있는 것으로 볼 수 있다. 평안할 때 대비하고, 강한 정신력을 가지고, 자신을 돌아보고 찾는 것이 중요하다는 것을 일깨워 준다.

주역의 위대함 春祝

주역의 위대함은 말로 다 표현하기 어려워
동북에서 벗을 잃고 서남쪽에서 얻는다네.
깊고 깊은 그 이치(理致)를 어찌 다 말하고
넓고 넓은 참 본원을 이(理)를 탐구할 수 있을까.
우뚝 솟은 봉우리 구름 위로 떠오르고
맑은 계곡물에 달이 풍덩 빠졌다네.
올해 봄 날씨 극한 추위가 싫은데
초백주(椒栢酒) 석 잔으로도 쉬이 가시지 않네.

大易難乎筆舌談	대역난호	필설담
喪朋東北得西南	상붕동북	득서남
渾渾其理那容說	혼혼기리	나용설
浩浩眞源此可探	호호진원	차가탐
峯立崢嶸雲半吐	봉립쟁영	운반토
澗流淸淨月方含	간류청정	월방함
是年春侯嫌寒劇	시년춘후	혐한극
椒栢三盃未易酣	초백삼배	미이감

감상평

이 시에서 주역의 위대함을 찬양하고 있다. 주역은 중국의 고대 경전으로, 우주와 인간의 삶에 대한 통찰을 담고 있다. 주역의 깊고 넓은 지혜를 탐구하고자 노력하지만, 그 위대함은 말로 다 표현하기 어렵다고 말한다.

첫 번째 연은 주역의 위대함을 동북과 서남쪽에 비유하고 있다. 동북은 춥고 척박한 지역을 상징하고, 서남쪽은 따뜻하고 풍요로운 지역을 상징한다. 주역의 깊은 이치를 탐구하기 위해 동북에서 벗을 잃고, 서남쪽에서 새로운 벗을 얻는다고 말한다. 이는, 주역의 지혜를 깨닫기 위해서는 큰 노력과 탐구가 필요하다는 것을 의미한다.

두 번째 연은 주역의 지혜를 탐구하기 위한 화자의 노력을 표현하고 있다. 주역의 깊고 넓은 지혜를 다 말하고, 참 본원을 이(理)를 탐구하고자 노력하지만, 그 위대함은 쉽게 이해할 수 없다고 말한다. 이는, 주역의 지혜는 단순히 지식을 쌓는 것 이상의 의미가 있다는 것을 의미한다. 주역을 통해 우리는 세상을 바라보는 새로운 시각을 얻고, 삶의 의미와 목적을 찾을 수 있다.

세 번째 연은 화자가 주역의 지혜를 탐구하는 과정에서 겪는 어려움을 표현하고 있다. 봄 날씨에도 불구하고 극한 추위를 겪고 있다. 이는, 주역의 지혜를 탐구하는 과정은 쉽지 않다는 것을 의미한다. 주역은 단순히 지식을 쌓는 것이 아니라, 삶을 바라보는 새로운 시각을 얻는 과정이기 때문이다.

마지막 연은 화자가 주역의 지혜를 탐구하는 과정에서 느끼는 좌절감을 표현하고 있다. 초백주를 마셔도 추위를 이기지 못한다. 이는, 주역의 지혜를 탐구하는 과정은 오랜 시간과 노력이 필요하다는 것을 의미한다. 주역은 단순히 책을 읽고 이해하는 것이 아니라, 삶을 통해 체득해야 하는 지혜이기 때문이다.

경서(經書)를 읽다 夜坐

경서 읽다가 새벽까지 앉았더니
눈발이 날리네
곱디고운 매화는 미소 짓고
쓸쓸한 대나무는 울었네!
서리가 오면 추워진다는 이치
세상의 변화를 경계하네!
원숭이와 학처럼 맹세를 새기며
세상의 추위를 이겨내네!

저 소나무는 늘 푸르름을 지켜
세상의 싸늘함에도 푸름을 잃지 않네!

繙	經	坐	五	更	번	경	좌	오	경
窓	外	雪	崢	嶸	창	외	설	쟁	영
艶	艶	梅	含	笑	염	염	매	함	소
蕭	蕭	竹	有	聲	소	소	죽	유	성
霜	冰	曾	所	戒	상	빙	증	소	계
猿	鶴	且	尋	盟	원	학	차	심	맹

| 愛 | 而 | 松 | 晩 | 翠 | 애 | 이 | 송 | 만 | 취 |
| 倘 | 記 | 歲 | 寒 | 情 | 당 | 기 | 세 | 한 | 정 |

감상평

경서를 읽다가 새벽까지 앉아 있다가, 창밖에 내리는 눈을 보며 자연의 변화를 느낀다. 매화의 미소와 대나무의 울음소리에서 세상의 변화를 경계하는 의미를 찾아낸다. 그리고 원숭이와 학처럼 맹세를 새기며, 세상의 추위를 이겨내고 소나무처럼 푸른 심정을 유지하겠다고 다짐한다.

이 시에서 자연의 변화를 통해 세상의 변화를 경계한다. 매화는 봄의 전령사로서 밝고 아름다운 모습을 상징한다. 그러나 눈이 내리는 겨울의 풍경 속에서 매화의 미소를 보며 세상의 변화를 느낀다. 봄이 가고 겨울이 오듯이 세상도 변화하고 있다.
또한 세상의 추위를 이겨내고 소나무처럼 푸른 심정을 유지하겠다고 다짐한다. 대나무는 쓸쓸한 모습을 상징한다. 그러나 대나무의 울음소리에서 세상의 추위를 이겨내고자 하는 의지를 읽어냅니다. 원숭이와 학은 각각 불굴의 의지와 고결한 도덕성을 상징한다. 원숭이와 학처럼 맹세를 새기며, 세상의 추위를 이겨내고 소나무처럼 푸른 심정을 유지하겠다고 다짐한다.

이 시의 주제는 세상의 변화 속에서도 꿋꿋하게 살아가겠다는 의지이다. 자연의 변화를 통해 세상의 변화를 경계하고, 소나무처럼 푸른 심정을 유지하겠다고 다짐한다. 이는 어려운 세상에서도 긍정적인 마음가짐으로 살아가겠다는 의지를 표현한 것으로 볼 수 있다.

유가(儒家)의 도 早春述懷

청춘의 뜻 어그러져서 때를 만나지 못하니
산촌에 살며 경륜을 낭비함을 비웃는다.
늙어 비를 만나듯 말 많은 게 병통이니
오래 책을 읽을수록 더욱 진경을 깨닫는다.

묵은 바위틈 물소리 고요한 밤에 뚜렷하고
가녀린 매화 고운 잎이 봄소식을 알리네.
안과 밖을 함께 잊는다는 게 유가의 법이니
장주(莊周)의 몸을 떠난다는 말과 어찌 다툴까 보냐.

壯志蹉跎不穀辰	장지차타	불곡신
田居笑我費經綸	전거소아	비경륜
老逢舊雨多言病	노봉구우	다언병
晚讀殘書益覺眞	만독잔서	익각진
古磵潺湲知夜靜	고간잔원	지야정
瘦梅姸艶報春新	수매연염	보춘신
兩忘內外吾儒法	양망내외	오유법
爭奈莊生說喪身	쟁나장생	설상신

감상평

이 시의 자신의 청춘이 뜻대로 되지 못하고 시골에 묻혀 살아가는 것을 비웃으면서도, 오래 책을 읽을수록 더욱 진경을 깨닫는다는 점에서 긍정적인 인생관을 가지고 있다. 또한, 묵은 바위틈에서 흐르는 물소리와 가녀린 매화의 잎을 통해 자연의 아름다움을 노래하면서, 자연과 더불어 살아가는 삶의 태도를 보인다.

이 시를 통해 우리는 다음과 같은 교훈을 얻을 수 있다.

삶의 뜻을 찾기 위해서는 노력해야 한다. 자신의 청춘이 뜻대로 되지 못하고 시골에 묻혀 살아가는 것을 비웃지만, 오래 책을 읽을수록 더욱 진경을 깨닫는다는 점에서 긍정적인 인생관을 가지고 있다. 제 뜻을 이루기 위해 노력하는 모습을 통해, 삶의 뜻을 찾기 위해서는 노력해야 한다는 교훈을 준다.
자연과 더불어 살아가는 삶이 중요하다. 묵은 바위틈에서 흐르는 물소리와 가녀린 매화의 잎을 통해 자연의 아름다움을 노래한다. 이러한 자연의 아름다움을 통해 삶의 소중함을 일깨우고, 자연과 더불어 살아가는 삶의 태도를 보인다.

이 시를 통해 삶의 뜻을 찾지 못해 방황하는 사람들에게 긍정적인 삶의 태도를 제시해줄 수 있으며, 자연의 아름다움을 통해 삶의 소중함을 일깨워 줄 수 있다.

사람 마음의 신묘함 看書有感

사람 마음은 신묘하여 알기 어려워
들고남에 본디 정해진 때가 없네.
성리학(性理學)의 비결을 잘 알아서
한결같이 공경심을 지킬 뿐이라네.

人	心	妙	難	測	인	심	묘	난	측
出	入	本	無	時	출	입	본	무	시
要	知	洛	閩	訣	요	지	낙	민	결
主	一	一	其	辭	주	일	일	기	사

감상평

이 시는 사람의 마음을 깨닫는 어려움과 성리학의 중요성을 노래한 작품이다.

시인은 먼저 사람의 마음은 신묘하여 알기 어렵다고 말한다. 마음은 육체와 달리 눈에 보이지 않고, 사람마다 다르게 작용하기 때문이다. 또한, 마음은 들고남에 본디 정해진 때가 없다고 한다. 마음은 언제 어디서나 생겨나고 사라지기 때문이다.

이러한 마음의 어려움을 극복하기 위해서는 성리학의 비결을 잘 알아야 한다고 시인은 말한다. 성리학은 유교의 한 학파로, 인간의 본성과 도덕을 연구하는 학문이다. 성리학을 통해 인간의 마음을 이해하고, 올바른 도덕적 삶을 살아갈 수 있다고 시인은 믿는다.

따라서 시인은 성리학의 비결을 알고 한결같이 공경심을 지키는 것이 중요하다고 말한다. 공경심은 인간의 도덕적 근간을 이루는 마음의 자세이다. 공경심을 통해 우리는 타인을 존중하고, 올바른 삶을 살아갈 수 있다.

이 시를 통해 우리는 사람의 마음을 깨닫기가 얼마나 어려운 일인지 알 수 있다. 또한, 성리학의 중요성과 공경심의 가치를 다시 한번 생각해 볼 수 있다.

이 시는 성리학을 바탕으로 한 도덕적 교훈을 담고 있지만, 그 내용은 오늘날에도 유효하다고 생각한다. 사람의 마음은 여전히 신묘하고, 올바른 삶을 살아가기 위해서는 공경심이 필요하다. 이 시는 이러한 교훈을 우리에게 전해주는 작품이라 할 수 있다.

동짓날의 희망 冬至吟

동짓날 땅속에 우레 있어
눈 속 매화 봉우리 터지려 하네.
하늘의 마음을 곳곳에서 볼 수 있는데
사람의 일은 때에 따라 꺾이누나.

서기(瑞氣)가 오르니 온갖 복이 열리고
상서(祥瑞)로운 구름에 만 리가 열린다.
아내 꾀어 나온 백엽주(柏葉酒)에
한 잔 또 한 잔을 기울인다네.

冬	至	地	中	雷	동	지	지 중	뢰
雪	梅	欲	綻	腮	설	매	욕 탄	시
天	心	隨	處	見	천	심	수 처	견
人	事	與	時	催	인	사	여 시	최
瑞	旭	千	門	闢	서	욱	천 문	벽
祥	雲	萬	里	開	상	운	만 리	개
栢	葉	謀	妻	得	백	엽	모 처	득
一	盃	復	一	盃	일	배	부 일	배

감상평

이 시의 동짓날 땅속에 우레가 울리며, 눈 속의 매화 봉우리가 터지려 하는 모습을 보며, 자연의 생명력을 느낀다. 또한, 하늘의 마음은 곳곳에서 볼 수 있지만, 사람의 일은 때에 따라 꺾이는 법이라며, 자신의 처지를 한탄한다. 그러나 서기(瑞氣)가 오르고 상서(祥瑞)로운 구름이 뜨는 것을 보며, 삶의 희망을 잃지 않고, 아내를 꾀어 나온 백엽주를 마시며 근심과 걱정을 잊으려 한다.

자연의 생명력과 삶의 희망:동짓날의 매화 봉우리를 통해 자연의 생명력을 노래하고, 서기(瑞氣)와 상서(祥瑞)로운 구름을 통해 삶의 희망을 노래한다. 세상의 공평하지 않음:하늘의 마음은 곳곳에서 볼 수 있지만, 사람의 일은 때에 따라 꺾이는 법이라며, 세상의 공평하지 않음을 표현한다. 삶의 자세:삶의 희망을 잃지 않고, 근심과 걱정을 잊으려는 모습을 통해 삶의 자세를 보여준다.

이 시는 자연의 아름다움과 삶의 희망을 노래한 작품이다. 시인은 동짓날의 매화 봉우리를 통해 자연의 생명력을 노래하고, 세상의 공평하지 않음을 표현하며, 삶의 희망을 잃지 말아야 한다는 교훈을 준다.
특히, 7~8구에서 아내를 꾀어 나온 백엽주를 마시며 근심과 걱정을 잊으려는 모습은 인상적이다. 시인은 삶의 어려움 속에서도 삶의 희망을 잃지 않고, 가족과 함께 어려움을 극복하려는 모습이 보인다.

사물을 살피다 觀物吟

매화꽃은 어떻게 저렇게 하얗고
버들은 시들어 푸르름을 잇는가.
사람은 다양한 물건의 본질을 알기에,
진실로 자신의 형체를 실천한다오.

梅	笑	胡	爲	白	매	소	호	위	백
柳	眠	叵	耐	靑	유	면	파	내	청
人	惟	明	庶	物	인	유	명	서	물
亶	在	踐	其	形	단	재	천	기	형

감상평

이 시의 매화꽃과 버들의 모습을 보며, 자연의 신비로움을 느낀다. 매화꽃은 하얀 꽃을 피우고, 버들은 푸른 잎을 잃습니다. 이는 자연의 순환과 변화를 보여주는 것이다.

이러한 자연의 변화 속에서, 사람의 삶을 돌아본다. 사람은 다양한 물건의 본질을 알기에, 진실로 자신의 형체를 실천할 수 있다고 생각한다. 이는 사람도 자연 일부로서, 자연의 순환과 변화에 따라 자신의 삶을 살아야 한다는 것을 의미한다.

이 시는 자연의 아름다움과 사람의 삶을 노래한 작품이다. 시인은 매화꽃과 버들의 모습을 통해 자연의 신비로움을 느끼고, 사람의 삶은 자연의 순환과 변화에 따라 살아야 한다는 교훈을 준다.

특히, "사람은 다양한 물건의 본질을 알기에, 진실로 자신의 형체를 실천한다오."라는 구절은 인상적이다. 이는 사람도 자연 일부로서, 자연의 순환과 변화에 따라 자신의 삶을 살아야 한다는 것을 강조하는 구절이다.

성성옹(惺惺翁)[2] 惺惺翁示諸生

또랑또랑 깨어있는 주인옹
나이는 늙어도 생각은 늙지 않네.
가만히 허(虛)와 적(寂)을 살펴보니
요점은 감응(感應)과 통찰(洞察)이라네.
아! 저들이 겸애를 말하지만
누가 그 이치가 허탄(虛誕)하다 말하겠는가.
우리 유가(儒家)는 묘리(妙理)를 보존하고
충서(忠恕)로 진심을 끌어낸다네.

---

[2] 성성옹(惺惺翁)은 본래 당대 서암(瑞巖)의 스님이 스스로 깨어 있는지 묻고 깨어있다고 대답한 데서 나온 말인데, 주자가 그 설을 인용하였다. 지금 학자들이 이와 같지 못하니, 그 아래 불씨가 헛되이 깨달음을 부르짖으면서 아무것도 하지 않음을 놀렸었으니, 은밀한 뜻을 볼 수 있다.

惺 惺 主 人 翁　　성 성　　주 인 옹
年 窮 意 未 窮　　연 궁　　의 미 궁
默 觀 虛 與 寂　　묵 관　　허 여 적
要 在 感 而 通　　요 재　　감 이 통
吁 彼 稱 兼 愛　　우 피　　칭 겸 애
云 誰 喚 做 空　　운 수　　환 주 공
吾 家 存 妙 理　　오 가　　존 묘 리
忠 恕 誘 天 衷　　충 서　　유 천 충

감상평

이 시의 깨어 있는 선비인 주인옹을 칭찬한다. 주인옹은 나이가 늙어도 생각은 늙지 않고, 허(虛)와 적(寂)을 통해 감응(感應)과 통찰(洞察)의 경지에 도달했다는 것이다.

시인은 먼저 "또랑또랑 깨어있는 주인옹"이라고 말하며, 나이가 들어도 깨어 있는 정신을 가진 유학자를 칭송한다. 이어서, 유학자의 정신은 "허(虛)와 적(寂)"을 살펴보는 데서 비롯된다고 말한다. 즉, 유학자는 허무함과 고요함 속에서 인간의 본질과 도리를 깨닫는다는 것이다.

다음으로, 시인은 "감응(感應)과 통찰(洞察)"이 유학의 요점이라고 말한다. 즉, 유학자는 타인을 감응하고, 세상을 통찰할 수 있는 능력을 지녀야 한다는 것이다.

마지막으로, 시인은 "겸애(兼愛)"와 "충서(忠恕)"의 중요성을 강조한다. 겸애란 모든 사람을 사랑하는 마음이고, 충서(忠恕)는 자기 자신을 사랑하는 것과 같이 남을 사랑하는 마음이다. 충서(忠恕)는 겸애를 실천하는 방법이라고 할 수 있다.

이 시를 통해 우리는 유학의 핵심 사상인 겸애와 충서의 중요성을 다시 한번 생각해 볼 수 있다. 겸애와 충서(忠恕)는 인간이 지향해야 할 이상적인 도덕적 가치이다. 이 두 가지 가치를 실천함으로써 우리는 보다 나은 세상을 만들 수 있을 것이다.

특히, 이 시에서 "허(虛)와 적(寂)"을 강조한 부분은 인상적이다. 유학자들은 허무함과 고요함 속에서 인간의 본질과 도리를 깨닫는다고 믿었다. 오늘날에도 우리는 바쁜 일상 속에서 잠시 멈추어 허무함과 고요함을 경험해 볼 필요가 있다. 그 속에서 우리는 진정한 삶의 의미를 발견할 수 있을 것이다.

동지 1 冬至 二首

양(陽)의 기운이 돌아오는 동짓날에 점을 치다 보니
흰 집에 푸른 등을 밝히니 밤이 가장 길구나.
조물주의 마음은 강건하고 손순(遜順) 하니
천기의 움직임은 강유(剛柔)가 번갈아 돌아가네.
옛 곡조에 거문고 튕기니 바람도 대를 울리고
빈 산에 눈이 가득하니 달빛도 연못에 가득하네.
두 어깨 세우고 오래 앉아 시를 읊는데
추위 속에 때때로 기러기 떼 울음 들리는구나.

管葭占候律回陽　　관 가 점 후　　율 회 양
白屋靑燈夜最長　　백 옥 청 등　　야 최 장
造物生心惟健順　　조 물 생 심　　유 건 순
天機動處迭柔剛　　천 기 동 처　　질 유 강
琴鳴古譜風鳴竹　　금 명 고 보　　풍 명 죽
雪滿空山月滿塘　　설 만 공 산　　월 만 당
吟聳雙肩良久坐　　음 용 쌍 견　　양 구 좌
驚寒時聽鴈尋行　　경 한 시 청　　안 심 항

감상평

이 시의 동짓날 밤에 점을 쳐 보며, 양(陽)의 기운이 돌아오고 있음을 느낀다. 흰 집에 푸른 등을 밝히니 밤이 가장 길지만, 조물주의 마음은 강건하고 손순(遜順) 하니, 천기의 움직임은 강유(剛柔)가 번갈아 돌아가며, 곧 봄이 올 것을 예감한다.

1~2구:동짓날 밤에 점을 쳐 보며, 양(陽)의 기운이 돌아오고 있음을 느낀다. 흰 집에 푸른 등을 밝히니 밤이 가장 길지만, 양(陽)의 기운이 돌아오고 있음을 알 수 있다.

3~4구:조물주의 마음은 강건하고 손순(遜順) 하니, 천기의 움직임은 강유(剛柔)가 번갈아 돌아간다고 말한다. 이는 조물주는 강함과 부드러움, 딱딱함과 부드러움이 함께 존재하는 존재이며, 천기의 움직임도 이러한 강유(剛柔)의 움직임에 따라 이루어진다는 것이다.

5~6구:옛 곡조에 거문고를 튕기니 바람도 대를 울리고, 빈 산에 눈이 가득하니 달빛도 연못에 가득하다고 말한다. 이는 자연의 아름다움과 조화를 느끼는 화자의 감정을 표현한 것이다.

7~8구:두 어깨 세우고 오래 앉아 시를 읊는데, 추위 속에서 때때로 기러기 떼 울음소리 들리는구나! 라고 말한다. 이는 화자가 자연과 함께하며, 시를 읊으며 삶의 여유를 찾고 있음을 표현한 것이다.

이 시는 자연과 함께하며, 삶의 여유와 감사를 느끼는 화자의 모습을 그린 작품이다. 시인은 동짓날 밤에 점을 쳐 보며, 양(陽)의 기운이 돌아오고 있음을 느끼고, 자연의 아름다움과 조화를 느끼며, 삶의 여유와 감사를 느낀다.

동지 2 冬至

천지 기운이 박(剝) 괘에서 복(復) 괘로 바뀌니
공연한 호기(豪氣)도 만 길 높이까지 뻗는구나.
평생 지닌 절개 바위보다 굳세고
한 치 이 마음이 쇠보다 강하네.
병든 매화 쇠잔한 버들에 봄 꿈이 깃들고
맑은 달밤의 풍경에 작은 연못도 좋구나.
아침 사당에서 팥죽을 올리는데
항렬별로 할아버지들 위패가 줄지어 있구나.

試 看 碩 果 地 雷 陽	시 간 석 과	지 뢰 양
豪 氣 徒 然 萬 丈 長	호 기 도 연	만 장 장
素 操 平 生 介 于 石	소 조 평 생	개 우 석
寸 心 到 底 鐵 彌 剛	촌 심 도 저	철 미 강
病 梅 衰 柳 三 春 夢	병 매 쇠 류	삼 춘 몽
霽 月 光 風 半 畝 塘	제 월 광 풍	반 묘 당
豆 粥 崇 朝 齋 會 席	두 죽 숭 조	재 회 석
祖 孫 昭 穆 秩 成 行	조 손 소 목	질 성 행

감상평

이 시의 동짓날 밤에 천지 기운이 박(剝) 괘에서 복(復) 괘로 바뀌는 것을 보며, 새로운 시작을 다짐한다. 평생 지닌 절개와 강한 마음을 바탕으로, 곧 다가올 봄을 맞이하기 위해 준비한다.

1~2구:천지 기운이 박(剝) 괘에서 복(復) 괘로 바뀌는 것을 보며, 새로운 시작을 다짐한다. 박(剝) 괘는 겨울의 끝을, 복(復) 괘는 봄의 시작을 의미한다.

3~4구:평생 지닌 절개와 강한 마음을 바탕으로, 곧 다가올 봄을 맞이하기 위해 준비한다. 평생 지닌 절개가 바위보다 굳세고, 한 치의 마음이 쇠보다 강하다고 말한다.

5~6구:병든 매화와 쇠잔한 버들에도 봄 꿈이 깃들고, 맑은 달밤의 풍경에 작은 연못도 좋다고 말한다. 이는 자연의 순환과 변화를 통해 희망을 얻고 있음을 표현한 것이다.

7~8구:아침 사당에서 팥죽을 올리며, 할아버지, 손자, 위패가 줄지어 있음을 보며, 가족과 함께하는 삶의 소중함을 느낀다.

단오 端陽

양기가 겹치는 5월 5일 형통하니
갓 익은 앵두 오디가 입맛을 돋우네.
꾀꼬리 앵앵 울며 계곡에서 나오고
기러기 창공에서 백사장으로 내려오네.
못가에서 물고기 보니 천기가 활발하고
성 모퉁이 굽은 길에서 손님을 보낸다네.
민속놀이 그네를 왜 이때 하는지
지금의 한류를 자랑할 일 아니라네.

時維重五合亨嘉	시유중오 합형가
初孰紅櫻食椹加	초숙홍앵 식심가
黃鳥嚶嚶出幽谷	황조앵앵 출유곡
白鷗漠漠下平沙	백구막막 하평사
觀魚沼上天機活	관어소상 천기활
送客城隅一路斜	송객성우 일로사
民俗秋千何處是	민속추천 하처시
韓流此日不須誇	한류차일 불수과

감상평

이 시는 5월 5일 단오를 주제로 한 시이다. 첫째 구절에서 "양기가 겹치는"이라는 표현을 통해 단오가 양기가 충만한 날임을 강조하고, "형통하니"라는 표현을 통해 단오가 길조의 날임을 나타낸다. 둘째 구절에서는 앵두와 오디의 익은 모습을 통해 단오의 풍요로움을 표현하고, 꾀꼬리와 백로의 모습으로 단오의 생명력을 나타낸다. 셋째 구절에서는 못 가의 물고기와 성 모퉁이의 손님을 통해 단오의 활기를 표현한다. 넷째 구절에서는 민속놀이인 그네를 왜 단오에 하는지 묻는 것으로, 단오가 민족의 축제임을 강조한다.

이 시는 단오의 다양한 모습을 생동감 있게 표현하고 있다. 특히, 앵두와 오디, 꾀꼬리, 백로, 물고기, 손님 등 자연과 인간의 모습을 통해 단오의 풍요로움과 생명력, 활기를 효과적으로 표현하고 있다. 또한, 민속놀이인 그네를 통해 단오가 민족의 축제임을 강조함으로써, 단오의 의미를 되새기게 한다.

이 시는 단오에 대한 작가의 애정과 자부심을 느낄 수 있는 시이다. 또한, 단오의 다양한 모습을 통해 한국의 자연과 문화를 엿볼 수 있는 시이기도 하다.

물체와 마음 明鏡吟

거울은
물체가 다가오면
그대로 비추네
곱고 추함 따지지 않네!
내 마음 본래 그렇거니
근심과 기쁨, 이유 없어라.

有	物	來	相	照	유	물	내	상	조
妍	媸	兩	不	干	연	치	양	불	간
吾	心	元	自	若	오	심	원	자	약
憂	喜	太	無	端	우	희	태	무	단

감상평

이 시는 거울을 통해 인간의 본성을 비유하고 있다. 거울은 물체가 다가오면 그대로 비추는 듯이, 인간의 마음도 그 어떤 것도 가리지 않고 그대로 드러냅니다. 곱고 추함을 따지지 않는 거울처럼, 인간의 마음도 선과 악, 아름다움과 추함을 구분하지 않는다.

거울은 인간의 마음의 거울이자, 인간이 마주해야 할 현실의 거울이기도 하다. 거울을 통해 자신의 본모습을 마주하는 것은 쉽지 않은 일이다. 하지만 자신의 본모습을 인정하고 받아들일 때, 비로서 진정한 자유와 행복을 얻을 수 있다.

자신의 마음 謹次 伯父書示二雅韻

명마가 천 리를 가볍게 달리는 힘,
붕새가 구천을 박차고 날아가는 마음.
밤마다 서강에 뜨는 달님이,
한 조각 내 마음을 두루 비추네.
깨끗한 기품으로 속기를 벗어 던지고,
타고난 우아한 바탕에서 참된 마음을 보네.
세상살이에서 누가 나를 알아줄 것인가,
있기만 하다면 스스로 마음을 허여하리.

驥	輕	千	里	力	기	경	천 리	력
鵬	搏	九	天	心	붕	박	구 천	심
夜	夜	西	江	月	야	야	서 강	월
照	來	一	片	心	조	래	일 편	심
清	標	堪	脫	俗	청	표	감 탈	속
雅	素	見	眞	心	아	소	견 진	심
閱	世	誰	知	己	열	세	수 지	기
有	人	自	許	心	유	인	자 허	심

감상평

이 시는 자기 내면의 아름다움과 가치를 깨닫고, 세상에 자신을 드러내고자 하는 화자의 마음을 표현한다.

첫째 구절에서 명마와 붕새의 모습을 통해 자신의 강인한 힘과 자유로운 마음을 표현하고 있다. 명마는 천 리를 가볍게 달리는 힘을 상징하고, 붕새는 구천을 박차고 날아가는 마음을 상징한다. 이러한 모습은 화자가 세상을 향해 도전하고, 자신의 꿈을 이루고자 하는 의지를 나타낸다.

둘째 구절에서 달의 모습을 통해 자기 내면의 아름다움을 표현하고 있다. 달은 어둠 속에서도 빛을 잃지 않는 존재로, 화자의 순수하고 깨끗한 마음을 상징한다. 이러한 모습은 화자가 세상의 어둠 속에서도 자신의 아름다움을 잃지 않고, 세상을 밝히고자 하는 의지를 나타낸다.

셋째 구절에서 속기를 벗어 던지고, 참된 마음을 보게 된다. 이는 화자가 세상의 속된 가치에 휩쓸리지 않고, 자기 내면의 아름다움을 발견하게 된 것을 의미한다. 이러한 모습은 화자가 세상에 자신의 가치를 드러내고자 하는 의지를 나타낸다.

넷째 구절에서 세상에 자기 내면을 드러내고자 하는 마음을 표현하고 있다. 자기 내면의 아름다움을 알아줄 사람이 있을지 의심하지만, 자신의 가치를 믿고 세상에 자신을 드러내고자 한다. 이러한 모습은 화자가 세상을 향해 자신의 존재를 알리고, 세상에 긍정적인 영향을 미치고자 하는 의지를 나타낸다.

이 시를 통해 우리는 자기 내면의 아름다움과 가치를 발견하고, 세상에 자신을 드러내고자 하는 화자의 의지를 느낄 수 있다. 또한, 세상을 향해 도전하고, 자신의 꿈을 이루고자 하는 의지를 되새길 수 있다.

잃어버린 마음 心字吟

세상살이 만 가지 인연,
마음에서 비롯되니
처녀의 정조(貞操)와 같네.
남가일몽(南柯一夢)처럼 청춘은 끝났지만
한 가닥 굳센 마음은
늙어도 더 강해지네.
반들거리는 대나무
긴 소나무는 외물이 아니요
쾌활한 풍광처럼 마음은 거리낌이 없네.
남은 세월 오직 누런 고서를 보면서
잃어버린 마음을 찾는 공부를 하리라

閱世萬緣一乃心　　열세만연　일내심
有同處女保貞心　　유동처녀　보정심
靑春已斷南柯夢　　청춘이단　남가몽
白首彌堅寸鐵心　　백수미견　촌철심

脩竹長松非外物　　수죽장송　비외물
光風霽月箇中心　　광풍제월　개중심
餘年收拾惟緗素　　여년수습　유상소
爲學須求求放心　　위학수구　구방심

감상평

이 시는 세상살이의 모든 인연이 마음에서 비롯된다는 것을 알 수 있다. 또한, 늙어도 변하지 않는 굳센 마음을 통해 진정한 인생의 의미를 찾고자 하는 화자의 의지를 표현한다.

첫째 구절에서 세상살이의 모든 인연이 마음에서 비롯된다고 말한다. 이는 세상의 모든 것은 마음의 작용으로 이루어진다는 것을 의미한다. 이러한 관점은 화자가 세상을 바라보는 깊은 통찰을 보여준다.

둘째 구절에서 청춘이 지나갔지만, 굳센 마음은 늙어도 더 강해진다고 말한다. 이는 화자가 젊은 시절의 경험을 통해 얻은 굳센 마음이 인생의 중심임을 강조한다. 이러한 마음은 화자가 세상의 어지러운 세파 속에서도 흔들리지 않는 중심을 잡아주는 역할을 한다.

셋째 구절에서 반들거리는 대나무 간 소나무와 쾌활한 풍광을 통해 마음의 자유로움을 표현하고 있다. 이는 화자가 세상의 속박에서 벗어나, 자유롭고 맑은 마음으로 세상을 바라보고자 하는 의지를 나타낸다.

넷째 구절에서 남은 세월을 오직 누런 고서를 보면서 잃어버린 마음을 찾는 공부를 하겠다고 말한다. 이는 화자가 세상의 진정한 의미를 찾기 위해 학문에 매진하겠다는 의지를 나타낸다. 이러한 의지는 화자가 세상을 바라보는 깊은 고민과 그에 대한 해답을 찾고자 하는 의지를 보여준다.

이 시를 통해 우리는 세상살이의 모든 인연이 마음에서 비롯된다는 것과, 굳센 마음이야말로 인생의 중심임을 되새길 수 있다. 또한, 세상의 속박에서 벗어나 자유롭고 맑은 마음으로 세상을 바라보는 것과, 세상의 진정한 의미를 찾기 위해 학문에 매진하는 중요성을 느낄 수 있다.

주역의 신묘함

책장 위에 꽂힌 책을 뽑아
연구하고 또 공부하였네.
신묘함은 본래 자취가 없고
큰 요체(要諦)는 더욱 말이 깊어라.

가죽끈 끊어지도록 주역을 보셨다고 하니
포희(包犧)에게 물어볼 필요 없다.
마음이 괘(卦)를 그리기 전에 미치니
태초의 혼돈은 과연 어디에 있는가.

抽	來	架	上	籤	추	래	가	상	첨
鑽	斯	復	研	斯	찬	사	부	연	사
至	妙	元	無	跡	지	묘	원	무	적
大	要	更	甚	辭	대	요	갱	심	사
吾	信	韋	編	絶	오	신	위	편	절
不	須	問	包	犧	불	수	문	포	희
心	存	劃	卦	前	심	존	획	괘	전
鴻	濛	果	何	其	홍	몽	과	하	기

감상평

주역(周易)의 신묘함과 태초의 혼돈에 대한 탐구를 노래한 작품이다.

시인은 먼저 책장 위에 꽂힌 책을 뽑아 연구하고 공부했다고 말한
다. 하지만 아무리 연구해도 주역의 신묘함은 도저히 파악할 수 없
다고 한탄한다. 주역의 요체는 너무나도 심오하여 말로 표현하기조차
어렵기 때문이다.

이어, 시인은 주역을 깊이 연구한 노인의 모습을 그려낸다. 이 노인
은 주역을 연구하느라 가죽끈이 끊어질 정도로 노력했지만, 포희에
게 물어볼 필요가 없을 정도로 그 경지에 이르렀다고 한다. 포희는
주역의 창시자로, 주역의 모든 의의를 꿰뚫고 있는 인물로 여겨진다.

마지막으로, 시인은 마음이 괘를 그리기 전에 미치니 태초의 혼돈은
과연 어디에 있느냐고 묻는다. 이는 주역의 핵심 개념인 "괘"를 설명
하는 말이다. 괘는 하늘과 땅의 음양의 변화를 상징하는 8개의 그림
으로, 태초의 혼돈에서 생겨났다고 한다. 하지만 태초의 혼돈은 아무
것도 없는 상태이므로, 마음으로 그릴 수 있는 것은 아니다.

이 시를 통해 우리는 주역의 신묘함과 태초의 혼돈에 대한 깊은 탐
구심을 엿볼 수 있다. 주역은 동양의 대표적인 철학서이자, 우주와
인간의 삶을 이해하는 데 중요한 지침을 제공하는 책이다. 이 시를
통해 우리는 주역의 깊은 뜻을 다시 한번 생각해 볼 수 있을 것이
다.

가을의 선비 疊前韻述懷

예로부터 가을엔 선비의 비애(悲哀)가 커지지만
단풍 감상은 조용할수록 더욱 깊어지네.
운대(雲臺)의 자취는 남아 있지 않지만
역사에 위대한 이름 남길 이 그 누구런가.
험한 산과 넘치는 물에 눌러앉으니
가난하고 허술한 집엔 적막한 근심이 가득하네.
시단(詩壇) 향해 내 뜻과 즐거움을 노래하니
서로 주고받지 못한다고 말하지 마오.

古來秋士倍悲秋	고래추사	배비추
吟賞楓林靜更幽	음상풍림	정갱유
未必雲臺眞蹟在	미필운대	진적재
疇能竹帛大名留	주능죽백	대명류
殘山剩水棲遑地	잔산잉수	서황지
陋屋衡門寂寞愁	누옥형문	적막수
晚向詩壇言志樂	만향시단	언지락
休言瓊果不相酬	휴언경과	불상수

감상평

이 시에서 가을의 풍경을 감상하면서, 자신의 처지와 인생에 관한 생각을 드러내고 있다.

첫째 구절에서 예로부터 가을이 선비의 비애가 커지는 계절이라고 말한다. 이는 가을이 자연의 황혼을 상징하기 때문이다. 하지만 단풍의 아름다움을 감상하면서, 가을의 비애를 넘어서는 고요함과 깊이를 발견한다.

둘째 구절에서 운대(雲臺)의 자취가 남아 있지 않지만, 역사에 위대한 이름을 남길 사람들이 있을 것이라고 말한다. 이는 역사의 흐름 속에서 개인의 삶은 무의미할 수 있지만, 위대한 업적을 남긴 사람들은 역사에 길이 남을 것이라는 의미이다.

셋째 구절에서 험한 산과 넘치는 물에 눌러앉아 가난하고 허술한 집에서 살고 있음을 말한다. 이는 화자의 처지가 넉넉하지 않음을 나타낸다. 하지만 가난과 고난 속에서도 자기 뜻과 즐거움을 노래함으로써, 자기 삶의 의미를 찾고자 한다.

넷째 구절에서 자신의 시를 시단에 내놓으면서, 자신을 알아주는 사람이 있을 것이라고 말한다. 이는 화자의 시가 세상에 울림을 줄 수 있다는 자신감을 나타낸다.

이 시를 통해 우리는 가을의 풍경을 통해 자신의 처지와 인생을 성찰하는 화자의 모습을 볼 수 있다. 또한, 화자의 시를 통해 삶의 의미를 찾고자 하는 그의 의지를 느낄 수 있다.

도량(度量) 觀海_이종락

바라보면 끝없이 펼쳐진 텅 빈 거울 같아
도도한 강, 한수(漢水) 모두 종장(宗匠)으로 여겨져
대륙을 나눌 만큼 그 안에 담을 수 있고
아득한 하늘의 돌고 도는 것을 접하네.
천 년의 봉래산 신선의 자취 아득하고
만 리 바다의 파도는 장풍을 안은 듯하네.
남아의 도량(度量)은 의당 이와 같아야 하니
너르고 깊다면 누구든 포용하지 못할까?
넓고 깊은 도량은 텅 빈 거울과 같아야
모든 것을 담을 수 있다네

一望無涯鏡面空　　일망무애　경면공
滔滔江漢盡朝宗　　도도강한　진조종
區分大陸包含裏　　구분대륙　포함리
逈接蒼穹轉運中　　형접창궁　전운중

蓬島千年杳仙跡　　봉도천년　묘선적
鯨波萬里抱長風　　경파만리　포장풍
男兒洪度宜如是　　남아홍도　의여시
溥博渾深孰不容　　부박혼심　숙불용

감상평

이 시에서 텅 빈 거울은 모든 것을 담을 무한한 가능성을 가지고 있으며, 남아의 도량은 모든 것을 포용할 수 있는 넓고 깊은 것이어야 한다는 것이다.

시인은 먼저 바다를 바라보고, 그 끝없이 펼쳐진 모습에 감탄한다. 바다는 마치 텅 빈 거울처럼 모든 것을 담아낼 수 있는 것 같다.

이어, 시인은 바다를 통해 인간의 도량에 대해 생각합니다. 도량은 인간 마음의 크기를 뜻한다. 넓고 깊은 도량을 가진 사람은 모든 사람을 포용하고, 모든 것을 받아들일 수 있다.

마지막으로, 시인은 남아의 도량은 이와 같아야 한다고 말한다. 남아는 남성을 뜻하는 말로, 여기서는 인격적으로 성숙한 남자를 의미합니다. 넓고 깊은 도량을 가진 사람은 인격적으로 성숙한 사람이며, 세상에 긍정적인 영향을 미칠 수 있는 사람입니다.

이 시를 통해 우리는 인간의 도량 중요성을 다시 한번 생각할 수 있다. 넓고 깊은 도량은 인간이 지향해야 할 이상적인 가치다. 이 도량을 지닌 사람은 세상을 보다 나은 곳으로 만들 수 있는 사람입니다.

이 시에서 인상적인 부분은 바다를 통해 인간의 도량을 형상화한 부분입니다. 바다는 끝없이 펼쳐져 있고, 모든 것을 담아낼 수 있는 능력이 있다. 이러한 바다의 모습은 넓고 깊은 도량을 가진 사람의 모습을 잘 표현하고 있다.

오늘날에도 우리는 다양한 분야에서 도량의 중요성을 강조합니다. 기업에서는 넓은 도량을 가진 인재를 선호하고, 정치에서는 도량 있는 정치인을 기대합니다. 이러한 요구는 인간이 지향해야 할 이상적인 가치를 추구하는 것으로 볼 수 있다.

기(氣)와 정(情) 理氣吟

기(氣)와 이(理)의 조화로 변화가 일어나고
정(情)으로 인해 치우침이 생긴다네
시냇물이 한 줄기로 흘러도
천 갈래로 나뉘고
나무의 가지는 만 갈래로 뻗어
잔 줄기로 이어진다네
거울이 맑고 비워야
그 본모습을 온전히 비추고
산의 노르스름 과 푸름은
각기 다른 형상을 띠네
주인과 손님을 구별하고
책 속에서 정밀하게 가려 보리라

理氣混然變化行	이기혼연	변화행
有生偏正孰非情	유생편정	숙비정
川流溯本分千派	천류소본	분천파
木立連根達萬莖	목립연근	달만경

如鏡清虛全厥象	여경청허	전궐상
滿山黃碧各殊形	만산황벽	각수형
主賓區別知歸宿	주빈구별	지귀숙
卷裡須求辨得精	권리수구	변득정

감상평

이 시에서 기와 이, 정이라는 세 가지 개념을 통해 세상의 변화와 조화를 설명한다.

첫째 구절에서 기와 이의 조화로 변화가 일어난다고 말한다. 기와 이의 조화는 세상의 근원적인 질서를 의미한다. 이러한 질서가 깨지면 세상은 혼돈에 빠지게 된다.

둘째 구절에서 정으로 인해 치우침이 생긴다고 말한다. 정은 인간의 감정과 욕망을 의미한다. 이러한 정은 세상의 질서를 깨뜨릴 수 있는 위험한 요소이다.

셋째 구절에서 시냇물과 나무의 예를 들어, 기와 이의 조화로 인해 다양한 변화가 일어날 수 있음을 설명한다. 시냇물은 한 줄기로 흘러도 천 갈래로 나뉘고, 나무의 가지는 만 갈래로 뻗어나간다. 이러한 변화는 기와 이의 조화에서 비롯된 것이다.

넷째 구절에서 거울의 예를 들어, 맑고 비워야만 본 모습을 온전히 비출 수 있음을 설명한다. 거울이 흐리거나 가득 차면 본 모습을 제대로 비출 수 없다. 이러한 현상은 정으로 인해 치우침이 생겼기 때문이다.

다섯째 구절에서 산의 노르스름 과 푸름의 예를 들어, 세상에는 다양한 존재가 있음을 설명한다. 산의 노르스름 과 푸름은 각기 다른 형상을 띠고 있다. 이러한 다양성은 기와 이의 조화에서 비롯된 것이다.

여섯째 구절에서 주인과 손님을 구별하고, 책 속에서 정밀하게 가려 보겠다고 말한다. 이는 세상의 질서를 유지하고, 올바른 판단을 내리기 위해 노력하겠다는 다짐이다.

본연의 마음

타고난 본연의 마음이 절로 진실하니
닦은 거울 맑은 물처럼 때가 끼지 않도록 하라
사심을 이겨 하늘이 주신 마음 온전히 하면
단비에 온화한 바람처럼 가는 곳이 봄일레라.

稟得本然自任眞　　품득본연　자임진
鏡磨水止絶泥塵　　경마수지　절니진
要將克己全天畀　　요장극기　전천비
甘雨和風到處春　　감우화풍　도처춘

감상평

이 시에서 타고난 본연의 마음이 진실하다고 말한다. 이는 인간은 누구나 본래 선한 마음씨를 가지고 있다는 의미이다. 하지만 인간은 세상을 살아가면서 다양한 유혹과 욕망에 사로잡히게 된다. 이러한 유혹과 욕망은 본연의 마음을 흐리게 만들고, 때를 끼게 만든다.

따라서 닦은 거울 맑은 물처럼 때가 끼지 않도록 해야 한다고 말한다. 이는 본연의 마음을 지키기 위해서는 끊임없이 노력해야 한다는 의미이다. 사심을 이겨 하늘이 주신 마음을 온전히 하면, 단비에 온화한 바람처럼 가는 곳이 봄이 될 것이라고 말한다. 이는 본연의 마음을 지키면 세상을 아름답게 만들 수 있다는 의미이다.

이 시를 통해 우리는 본연의 마음을 지키는 것이 얼마나 중요한지 되새길 수 있다. 또한, 본연의 마음을 지키기 위해서는 끊임없이 노력해야 함을 알 수 있다.

사람 마음 看書有吟

사람 마음 드나듦은 끝이 없으니
얼음과 불처럼 어찌 뜨거웠다 차가울 수 있겠는가.
평생토록 오직 경(敬)자 하나만 살피려 하니
공부의 경지(境地) 여기서 점점 어려워지네.

人心出入太無端	인심출입 태무단
氷火胡爲熱且寒	빙화호위 열차한
點檢平生惟敬字	점검평생 유경자
工夫到此漸知難	공부도차 점지난

감상평

이 시에서 사람의 마음을 헤아리는 것이 쉽지 않다고 말한다. 이는 사람의 마음은 복잡하고 미묘하기 때문이다. 사람의 마음은 때로는 얼음처럼 차갑기도 하고, 때로는 불처럼 뜨겁기도 하다. 따라서 사람의 마음을 이해하기 위해서는 끊임없이 노력해야 한다.

평생 오직 경(敬)자 하나만 살피려고 한다. 이는 경(敬)자가 사람의 마음을 헤아리는 데 도움이 된다고 믿기 때문이다. 경(敬)자는 존경과 예의를 의미한다. 따라서 경(敬)을 바탕으로 상대방을 대하면, 상대방의 마음을 이해하고 소통할 수 있을 것이다.

공부의 경지가 점점 어려워진다고 말한다. 이는 사람의 마음을 헤아리는 것이 쉽지 않기 때문이다. 하지만 포기하지 않고, 계속해서 노력하겠다는 의지를 보이다.

이 시를 통해 우리는 사람의 마음을 헤아리는 것이 얼마나 중요한지 되새길 수 있다. 또한, 사람의 마음을 헤아리기 위해서는 끊임없이 노력해야 함을 알 수 있다.

본성(本性)敬字吟_이종락

사람은 태어날 때부터
선한 마음씨를 가지고 있다네.
뜻을 장수로, 마음을 군주로 삼아
밝은 덕을 향하네.
이 몸을 하늘의 뜻에 따라
공경으로 중심을 잡네.

안타깝다,
저들은 어찌하여
더러움에 부합하는가?
나는 참마음을 찾아가겠다.
가업은 이어가되 욕망을 부추기지 말고
벗은 잘 가려 글을 통해 찾아오는 이를 만나리

人生德性自天成　　인생덕성　자천성
志帥心君向裏明　　지수심군　향리명
百體要須聽命好　　백체요수　청명호
敬之一字主其盟　　경지일자　주기맹

惜矣彼何同合汚　　석의피하　동합오
念哉吾自欲尋眞　　염재오자　욕심진
業家休道無長物　　업가휴도　무장물
擇友由來會以文　　택우유래　회이문

감상평

이 시에서 하늘이 내린 선한 본성이 인간의 마음에 밝게 빛나고 있다고 말한다. 이는 인간은 누구나 본래 선한 마음씨를 가지고 있다는 의미이다. 하지만 인간은 세상을 살아가면서 다양한 유혹과 욕망에 사로잡히게 된다. 이러한 유혹과 욕망은 본연의 마음을 흐리게 만들고, 더러운 행동으로 이어지게 한다.

시인은 먼저 인간은 태어날 때부터 선한 마음씨를 가지고 있다고 말한다. 이 선한 마음씨를 본성이라고 한다. 본성은 하늘이 부여한 것이며, 인간이 지향해야 할 이상적인 모습이다.

이어, 시인은 뜻을 장수로, 마음을 군주로 삼아 밝은 덕을 향하라고 말한다. 이는 인간이 본성을 실현하기 위해서는 뜻과 마음을 바르게 가져야 한다는 뜻이다. 뜻은 인간의 목표와 이상을 의미하고, 마음은 인간의 행동을 결정하는 힘을 의미한다.

마지막으로, 시인은 안타깝게도 많은 사람이 본성에 어긋나는 삶을 살고 있다고 말한다. 시인은 이러한 사람들을 경계하며, 참마음을 찾아가겠다고 다짐한다.

이 시를 통해 우리는 인간의 본성의 중요성을 다시 한번 생각해 볼 수 있다. 본성은 인간이 지향해야 할 이상적인 모습이며, 본성을 실현하기 위해서는 뜻과 마음을 바르게 가져야 한다는 것을 알 수 있다.

특히, 시인이 본성을 "장수(將帥)"와 "군주(君主)"로 비유한 부분이 인상적이다. 장수는 군대를 이끄는 지휘관으로, 군주는 나라를 다스리는 통치자이다. 이 비유를 통해 시인은 본성이 인간의 삶을 이끄는 가장 중요한 힘임을 강조하고 있다.

오늘날에도 우리는 본성의 중요성을 강조한다. 많은 사람은 본성에 어긋나는 삶을 살고 있지만, 본성을 실현하기 위해 노력하는 사람들도 많다. 이러한 노력은 인간이 더 나은 삶을 살기 위해 필요한 노력이라고 할 수 있다.

소신(所信) 謹次朱子感興詩

좋은 말은 천 리를 꿈꾸네
아무리 힘들어도 포기하지 않네
선학은 새장에 있어도
날고 싶은 마음은 변치 않네
성군은 가버렸고
세상은 나와 어긋났네.
비바람이 몰아치는 밤에도
서재의 등불은 꺼지지 않네.
학문의 길에서 오랫동안
가는 터럭까지 살피며
고전 속의 성현들과 함께하네.
이 길을 버리고 어디로 갈까?

良馬思千里　　양 마 사 천 리
伏櫪養閒機　　복 력 양 한 기
仙鶴久留籠　　선 학 구 류 롱
寧忘格天飛　　영 망 격 천 비

勳華今已邈　　훈 화 금 이 막
身與世相違　　신 여 세 상 위
漫空風雨夜　　만 공 풍 우 야
孤燈一点輝　　고 등 일 점 휘

藏修歲月晩　　장 수 세 월 만
精研絲毫微　　정 연 사 호 미
尙友塵編在　　상 우 진 편 재
舍此吾安歸　　사 차 오 안 귀

감상평

학문에 대한 열정과 삶의 의미를 노래한 작품이다.

시인은 먼저 좋은 말은 천 리를 꿈꾼다고 말한다. 이는 좋은 말은 세상을 바꾸고, 사람들에게 희망을 줄 힘이 있다는 뜻이다.

이어, 시인은 아무리 힘들어도 포기하지 않는다고 말한다. 이는 학문을 하는 것은 쉽지 않은 일이지만, 그런데도 포기하지 않고 노력해야 한다는 뜻이다.

다음으로, 시인은 선학은 새장에 있어도 날고 싶은 마음은 변치 않는다고 말한다. 이는 선학은 현실에 안주하지 않고, 항상 더 높은 경지를 향해 노력한다는 뜻이다.

마지막으로, 시인은 성군은 가버렸고 세상은 나와 어긋났지만, 비바람이 몰아치는 밤에도 서재의 등불은 꺼지지 않는다고 말한다. 이는 시대가 혼란스럽고, 세상이 자신과 어긋나더라도 학문의 길을 포기하지 않겠다는 뜻이다.

이 시를 통해 우리는 학문에 대한 열정과 삶의 의미에 대해 생각해 볼 수 있다. 학문은 세상을 바꾸고, 사람들에게 희망을 주는 힘이 있다. 또한, 학문을 하는 것은 쉽지 않은 일이지만, 그런데도 포기하지 않고 노력해야 한다.

특히, 시인이 선학을 새장에 비유한 부분이 인상적이다. 선학은 현실에 안주하지 않고, 항상 더 높은 경지를 향해 노력하는 사람을 말한다. 새는 하늘을 날고 싶은 본성이 있지만, 현실에서는 새장에 갇혀있다. 하지만, 새는 포기하지 않고 계속해서 하늘을 날고 싶은 마음을 간직하고 있다. 이 비유를 통해 시인은 학문을 하는 사람이라면 누구나 선학(先學)과 같은 열정을 가지고, 있어야 한다는 것을 강조하고 있다.

오늘날에도 우리는 학문에 대한 열정과 삶의 의미에 대해 고민한다. 이 시를 통해 우리는 다시 한번 학문에 대한 열정을 불태우고, 삶의 의미를 찾는 계기가 될 것이다.

본연의 마음 和堯夫心安吟

이 마음 고요하니
우주도 평화롭다네
부귀(富貴)와 명예(名譽)는
결코 내 소망이 아니네.
인(仁)과 지혜(智慧)는
어디에나 존재한다네
오염된 물속, 무너지는 산에도,
꿈속에서
복희(伏羲) 신농(神農)의 시대가 펼쳐진다네

此	心	靜	而	安	차	심	정	이	안
宇	宙	閒	且	寬	우	주	한	차	관
富	貴	良	非	願	부	귀	양	비	원
功	名	自	不	干	공	명	자	불	간
仁	智	隨	處	在	인	지	수	처	재
剩	水	又	殘	山	잉	수	우	잔	산
高	枕	回	淸	夢	고	침	회	청	몽
悅	爾	羲	農	間	황	이	희	농	간

감상평

이 시에서 마음의 평안을 통해 우주의 평화를 얻을 수 있다고 말한다. 이는 마음이 모든 것을 결정한다는 의미이다. 부귀와 명예를 소망하지 않았다. 이는 이러한 것들이 진정한 행복을 가져다주지 않는다고 믿기 때문이다.

인과 지혜가 어디에나 존재한다고 말한다. 이는 인간의 마음속에 이러한 것들이 내재(內在)되어 있다는 의미이다. 꿈속에서 복희(伏羲) 신농(神農)의 시대를 꿈꿉니다. 이는 화자가 이상적인 세상을 꿈꾸고 있음을 나타낸다.

이 시를 통해 우리는 마음의 평안을 통해 세상을 바꿀 수 있다는 것을 되새길 수 있다. 또한, 인과 지혜가 모든 것의 근본이라는 것을 알 수 있다.

깨끗한 서재 李友悳熙 來留讀書共吟

깨끗한 서재에 모여앉아
소매에 청풍을 넣고 허리에 향초를 꽂네.
솔바람 소리 시냇물 소리 뒤섞이고
산빛 구름 빛 구분이 어려워지네.

옛일은 털어내고 새 감정으로 시를 짓네.
다가오는 옛 자취는 다시 글이 되네
젊어서 괴로운 일도 그대 짐짓 기억하라
이러한 성공은 옛 가르침에 있지 않던가.

瀟洒芸窓好作群	소쇄 운 창 호 작 군
淸風袖裏佩芳芬	청 풍 수 리 패 방 분
松聲溪響渾相雜	송 성 계 향 혼 상 잡
山色雲容摠未分	산 색 운 용 총 미 분
說去新情還摘句	탈 거 신 정 환 적 구
閱來舊蹟更論文	열 래 구 적 갱 론 문
芳年喫苦君須記	방 년 끽 고 군 수 기
這處成功在古聞	저 처 성 공 재 고 문

감상평

이 시는 친구가 찾아와 함께 글을 지으면서 읊은 시이다. 시의 내용은 깨끗이 닦은 서재에 모여앉아 옛일들을 털어내고 새 감정으로 시를 지으며 옛 가르침에 따라 성공을 이루고자 하는 마음을 담고 있다.

첫 번째 연에서 깨끗이 닦은 서재에 모여앉아 청풍을 소매에 넣고 향초를 허리에 꽂고 있다. 이는 화자가 고요하고 평화로운 분위기 속에서 시를 짓고자 하는 마음을 나타낸다.
두 번째 연에서 솔바람 소리와 시냇물 소리가 뒤섞이고 산빛과 구름빛이 구분하기 어려워지는 풍경을 묘사한다. 이는 화자가 시를 쓰면서 자연과 하나가 되는 모습을 나타낸다.
세 번째 연에서 옛일들을 털어내고 새 감정으로 시를 짓고 있다고 말한다. 이는 화자가 과거의 상처와 아픔을 딛고 새로운 마음으로 시를 쓰고자 하는 마음을 나타낸다.
네 번째 연에서 다가오는 옛 자취는 다시 글이 된다고 말한다. 이는 화자가 과거의 경험과 지혜를 바탕으로 새로운 시를 쓰고자 하는 마음을 나타낸다.
마지막 연에서 젊어서 괴로운 일도 짐짓 기억하라고 말한다. 이는 화자가 과거의 어려움을 통해 성장하고 성숙할 수 있다는 믿음을 나타낸다.

이 시는 옛 가르침에 따라 성공을 이루려는 화자의 굳은 의지와 열정을 잘 표현한 시라고 생각한다. 과거의 상처와 아픔을 딛고 새로운 마음으로 시를 쓰고자 한다. 또한, 과거의 경험과 지혜를 바탕으로 새로운 시를 쓰고자 한다. 이러한 화자의 굳은 의지와 열정이 결국 성공으로 이어질 것이라는 믿음을 시를 통해 전달하고 있다.

하늘의 뜻을 따라 別李友憙熙

세상에 나가거나 숨거나
소명(召命)을 따르리라
곤궁하든 현달(顯達) 하든 간에
하늘을 따르면
남을 탓할 겨를이 없네.

다만 실질 공부의 요점을
잡아나가고
물욕의 괴로움이
침범하지 못하게 하리라

行藏在我天攸使	행장재아	천유사
窮達聽天我不尤	궁달청천	아불우
但得實工要喫緊	단득실공	요끽긴
莫令物累苦相侵	막령물루	고상침

감상평

이 시는 이종락 선생의 한시를 현대시로 바꾼 작품으로, 세상과의 관계, 소명, 물욕에 대한 시인의 생각을 담고 있습니다.

시인은 세상에 나아가든 숨든 간에 자신의 소명을 따르겠다는 의지를 드러냅니다. 곤궁하든 현달하든 상황에 좌우되지 않고 하늘의 뜻에 따라 살아갈 때 남을 탓할 겨를이 없다는 것을 깨닫습니다. 이는 자신의 삶에 책임을 지고 주체적으로 살아가라는 메시지를 전달합니다.

또한 시인은 실질적인 공부에 집중하고 물욕에 얽매이지 않겠다는 다짐을 합니다. 물질적인 풍요보다 정신적인 수양을 중요시하는 시인의 가치관을 엿볼 수 있습니다.

이 시는 삶의 방향과 목표에 대해 고민하는 사람들에게 귀감이 될 만합니다. 자신의 소명을 따라 주체적으로 살아가고 물질적인 유혹에 흔들리지 않는 삶의 태도를 배우게 해줍니다.

군자 夜坐

군자는 만인의 우상이 되리라
선은 있지만 악은 없으리
천지와 나란히 사는 삶
예의의 근본은 여기 있구나

열 마리 새를 속여 잡지 않으리
어떤 일이 있어도 규범대로 살리라
높은 궁궐 담 넘어 성현을 부르며
닫힌 문을 조용히 열어보네

君子爲能望萬夫	군자위능 망만부
善吾有也惡吾無	선오유야 악오무
始終天地非他已	시종천지 비타이
禮義綱常在此乎	예의강상 재차호
射獲十禽寧詭遇	사획십금 영궤우
御同一轍範馳驅	어동일철 범치구
宮牆數仞嗟玄聖	궁장수인 차현성
洞啓重門動靜樞	동계중문 동정추

감상평

이 시는 이종락 선생의 한시 '군자'를 현대시로 바꾼 작품으로, 군자의 이상적인 모습을 묘사하고 있습니다.

군자는 만인의 우상으로 존경받는 존재입니다. 선행만을 행하고 악행은 절대 하지 않으며, 천지와 조화롭게 살아가는 삶을 추구합니다. 예의의 근본은 바로 이러한 군자의 덕목에서 비롯됩니다.

시인은 군자를 열 마리 새를 속여 잡지 않는 사람에 비유합니다. 이는 군자가 어떤 유혹에도 흔들리지 않고 자신의 원칙을 지키는 강직한 의지를 나타냅니다. 또한, 어떤 일이 있어도 규범대로 살아가는 군자의 모습을 통해 규범의 중요성을 강조합니다.

마지막으로 시인은 높은 궁궐 담 넘어 성현을 부르며 닫힌 문을 조용히 열어보는 군자의 모습을 묘사합니다. 이는 군자가 끊임없이 학문을 탐구하고 성장하려는 노력을 보여줍니다.

이 시는 군자의 덕목을 통해 우리에게 올바른 삶의 방향을 제시합니다. 선행을 행하고, 규범을 지키며, 끊임없이 배우고 성장하는 삶을 살아가야 한다는 교훈을 얻을 수 있습니다.

유와 무의 경계에서 偶吟

우리 유도(儒道)는
형이상(形而上)과
형이하(形而下)가 분명하니
무(無) 속에 유(有)를 머금지만
본래 무(無)가 아니라네.
오래오래 공부가 깊어지면
실체 만물에서 무(無)를 보겠네.

吾道分明形上下　　오도분명　형상하
無中含有本非無　　무중함유　본비무
要將久久工夫熟　　요장구구　공부숙
實有之中見却無　　실유지중　견각무

감상평

이 시는 이종락 선생의 한시 '유도'를 현대 시로 바꾼 작품으로, 유도의 근본적인 이치를 담고 있습니다.

시인은 유도가 형이상과 형이하를 명확하게 구분한다고 말합니다. 형이상은 보이지 않는 실체, 형이하는 보이는 현상을 의미합니다. 유도는 무(無) 속에 유(有)를 머금지만, 본래 무가 아니라는 것을 강조합니다. 이는 모든 존재는 공(空)에서 비롯되었지만, 그 자체로는 실체가 없다는 유교의 허무주의적 사상을 보여줍니다.

또한 시인은 오랜 공부를 통해 실체 만물에서 무를 볼 수 있다고 말합니다. 이는 겉모습에 현혹되지 않고 사물의 본질을 꿰뚫어 볼 수 있는 지혜를 얻게 된다는 것을 의미합니다.

이 시는 유도의 핵심적인 개념인 무와 유를 이해하는 데 도움을 줍니다. 또한 깊은 학문을 통해 사물의 본질을 파악하는 지혜의 중요성을 강조합니다.

우연히 읊다 偶吟

서재에서 주역을 오래 보다보니,
대도(大道)는 저절로 오르락내리락 하네.
마침 뜰 앞 나무에 앉은 새들이,
떼 지어 오르락내리락[3] 지저귀고 있네.

芸	窓	看	易	久	운	창	간	역	구
大	道	自	升	沈	대	도	자	승	침
有	鳥	庭	前	樹	유	조	정	전	수
群	飛	下	上	音	군	비	하	상	음

---

3) *以鳥之下上見道之升沈也 새가 오르락내리락하는데서 도가 오르락내리
락하는 이치를 보다.

감상평

이 시는 이종락 선생의 한시 '주역'을 현대 시로 바꾼 작품으로, 주역의 변화무쌍한 이치를 묘사하고 있습니다.

시인은 주역을 오래 연구하면서 대도가 저절로 오르락내리락하는 것을 관찰합니다. 이는 세상의 모든 것은 끊임없이 변화하며, 그 변화에는 일정한 패턴이 있다는 것을 의미합니다.

시인은 이러한 변화를 뜰 앞 나무에 앉은 새들이 떼 지어 오르락내리락 지저귀는 모습에 비유합니다. 이는 자연스럽고 조화로운 변화의 모습을 보여줍니다.

이 시는 주역의 핵심적인 개념인 변화와 순환을 이해하는 데 도움을 줍니다. 또한 세상의 모든 것은 끊임없이 변화하며, 그 변화를 받아들이는 것이 중요하다는 것을 알려줍니다.

사물을 살피다 觀物吟

새는 푸른 하늘을 날아다니고,
물고기는 깊은 골짜기 물에 숨어있네.
사물이 있다면 형상이 없겠는가?
줄이 없어도 거문고는 거문고요.
밀납 칠한 나막신은 등산에 어울리며,
지팡이를 짚고 물가를 찾아보네.
참된 조짐은 가는 곳마다 있다만은,
부질없이 길게 시를 읊고 있네.

鳥	度	蒼	空	遠	조	도	창	공	원
魚	藏	大	壑	深	어	장	대	학	심
有	物	誰	非	象	유	물	수	비	상
無	絃	便	是	琴	무	현	변	시	금
蠟	屐	宜	山	上	납	극	의	산	상
策	藜	又	水	潯	책	려	우	수	심
眞	機	隨	處	在	진	기	수	처	재
費	我	一	長	吟	비	아	일	장	음

감상평

이 글은 자연의 이치를 통해 삶의 진리를 깨달은 자기 모습을 표현한 시이다.

시인은 새가 하늘을 날고 물고기가 물속에 사는 것처럼, 사물에는 각자의 본연의 모습이 있다고 말합니다. 형상이 없어도 거문고는 여전히 거문고이며, 밀납 칠한 나막신은 등산에 적합합니다.

하지만 시인은 참된 조짐은 어디에나 존재하지만, 사람들은 그저 헛된 시를 읊고 있다고 비판합니다. 이는 시의 본질을 잊고 형식적인 표현에만 집중하는 시인들을 풍자하는 것으로 볼 수 있습니다.

이 시는 시의 본질이 무엇인지 질문을 던지고 있습니다. 시는 단순히 아름다운 말을 늘어놓는 것이 아니라, 사물의 본질을 파악하고 진실을 표현하는 것이라는 것을 알려줍니다.

세상은 변하고 愛影

요즘 세상은 상전벽해로 변해 가는데
큰 성곽 모퉁이에 이별의 뜻이 담겨 있네
이별의 정(情), 석 잔 술이 어찌 모자라나
한 꿰미 보따리 행색조차 가련하구나
아침비 맞은 뜰안의 매화 꽃잎이 젖었는데
봄바람에 연못 가 버들가지 길이 늘어졌네
앞전에 좋은 약속을 언제 했는지 아는가
서원에서 청아한 유람을 잊을 수 없으리

目 今 世 事 劫 滄 桑	목 금 세 사	겁 창 상
觚 觚 城 隅 別 意 長	고 고 성 우	별 의 장
離 情 奈 乏 三 盃 酒	이 정 내 핍	삼 배 주
行 色 偏 憐 一 束 裝	행 색 편 련	일 속 장
朝 雨 庭 邊 梅 蘂 濕	조 우 정 변	매 예 습
春 風 池 畔 柳 絲 長	춘 풍 지 반	유 사 장
前 頭 佳 約 知 何 日	전 두 가 약	지 하 일
書 社 清 遊 不 可 忘	서 사 청 유	불 가 망

감상평

이 시를 통해 시인은 세상의 변화와 이별의 슬픔을 통해 느낀 안타까움을 표현한다.

시인은 세상이 급변하고 있음을 상전벽해(桑田碧海)라는 비유로 표현합니다. 상전벽해는 뽕나무밭이 푸른 바다로 변한다는 뜻으로, 세상의 변화가 극심하고 예측 불가능하다는 것을 의미합니다.

이러한 변화 속에서 시인은 이별의 슬픔을 느낍니다. 큰 성각 모퉁이에 서서 이별의 뜻을 담아서 한 잔의 술을 마시는 모습은 쓸쓸함과 애상을 자아냅니다.

아침 비에 젖은 매화 꽃잎과 봄바람에 길게 늘어진 버들가지는 이별의 정을 더욱 짙게 합니다.

마지막으로 시인은 앞으로 다시 만날 약속을 언제 했는지 묻고, 서원에서 함께했던 청아한 유람을 잊을 수 없음을 표현합니다. 이는 이별의 아쉬움을 더욱 증폭시키는 효과를 줍니다.

이 시는 세상의 변화와 이별의 슬픔을 아름다운 언어로 표현한 작품입니다. 시인의 섬세한 감정 표현과 뛰어난 문체는 독자들에게 감동을 선사합니다.

그리운 너 許由洗耳

서로 따르며 떠나지 못하는 것은
어떤 감정이 있었기에
움직일 때나 가만히 있을 때도
가르침을 주는 그대를 본받아 이정표를 정했네.
촛불 켜고 책을 읽으면 함께 가만히 앉아 있고
맑은 밤 달빛 아래 함께 한가로이 걸어가네.
굽히든 펼치든 형편에 맡겨두고
쓰이고 버려져도 서러워하지 않으니
어둠과 광명의 때가 있음을 알게 되었네.
홀로 삼가는 공부는
네 덕분에 경계할 수 있었고
말은 없지만 나를 불러 깨우쳐 주었네.

相隨不去有何情　상수불거　유하정
動止於吾效作程　동지어오　효작정
燃燭對書同靜坐　연촉대서　동정좌
淸宵步月共閑行　청소보월　공한행
屈伸只可任舒捲　굴신지가　임서권

用舍偏憐識晦明　용사편련　식회명
愼獨工夫由爾戒　신독공부　유이계
爾雖無語喚余醒　이수무어　환여성

감상평

이 시는 서로를 따르며 떠나지 못하는 깊은 정과 무한한 신뢰를 담고 있습니다. 움직일 때나 가만히 있을 때도 서로를 본받고 이정표를 정하는 모습에서, 인생의 동반자로서 함께 걸어가는 소중함을 느낄 수 있습니다. 촛불을 켜고 책을 읽는 평온한 시간, 맑은 밤 달빛 아래 걷는 한가로움은 이들의 관계가 얼마나 깊고 편안한지를 보여줍니다. 어둠과 광명의 때를 알게 되었다는 표현에서는 삶의 고난과 행복을 함께 겪으며 성장해가는 과정을 엿볼 수 있습니다. 말은 없지만 서로를 깨우쳐 주는 존재의 가치를 인식하게 하는 이 시는, 인간관계의 아름다움과 삶의 깊은 의미를 섬세하게 풀어내고 있습니다.

이 시는 서로에 대한 믿음과 사랑, 그리고 함께 성장해가는 과정을 아름답게 그려내며, 독자가 인간관계의 소중함과 삶의 진정한 가치에 대해 다시 한번 생각해보게 합니다.

눈 덮인 서재 謹次伯氏冬日書懷韻

쌓인 눈 덮인 대문, 낮에도 닫혀 있네.
한숨 쉬며 서재에 앉아, 하루 종일
헛된 세상에 나가는 게 가여워
마음을 추스르고 생각해보니
지친 새들의 둥지를 보며
내 자리가 어디인지 알게 되었네
쓸쓸히 부는 바람, 대나무를 흔들고
담담한 달빛, 매화를 비추네
신야(莘野)에서 밭을 갈고,
위수(渭水)에서 낚시하던
천추(千秋)의 유감이여
쓸데없이 세상을 구제할 인재를 추억해보네.

雪壓松扉晝不開　설압송비　주불개
兀然終日坐高齋　올연종일　좌고제
無心憐爾浮雲出　무심련이　부운출
知止看他倦鳥來　지지간타　권조래
瑟瑟風梳君子竹　슬슬풍소　군자죽

淡淡月照美人梅　담담월조　미인매
莘耕渭釣千秋感　신경위조　천추감
謾憶當年濟世才　만억당년　제세재

감상평

쌓인 눈 덮인 대문과 낮에도 닫혀 있는 서재의 모습에서 시작해, 세상에 대한 회의와 자기 내면을 성찰하는 과정을 담담하게 그려냅니다. 특히, 지친 새들의 둥지를 보며 자신의 자리를 깨닫는 부분은 인간의 삶과 자연의 연결고리를 상징적으로 표현하며 깊은 울림을 줍니다. 바람에 흔들리는 대나무와 달빛 아래 매화를 비추는 장면은 세상의 번잡함 속에서도 변하지 않는 아름다움과 평온함을 상기시킵니다. 이 시는 신야(莘野)에서 밭을 갈고, 위수에서 낚시하던 천추의 유감과 같이, 세상을 구제하려 했던 인재들을 회상하며, 그들의 노력이 헛되지 않았음을 암시합니다. 현대적 감각으로 재해석된 이 한 시는, 고대의 지혜와 현대의 감성이 어우러져, 독자가 삶의 의미와 가치에 대해 다시 한번 생각해보게 만듭니다.

이 시를 통해, 우리는 세상의 소란함을 잠시 벗어나 내면의 목소리에 귀 기울이고, 자연과의 교감을 통해 삶의 진정한 의미를 찾아갈 수 있음을 깨닫습니다. 이러한 시적 메시지는 오늘날 우리에게도 여전히 큰 울림과 교훈을 줍니다.

학문(學問)에의 정진(精進) 寄贈吳世昌做案

스무 살의 나이에 학문을 시작함이 참 가련하니,
책 상자 짊어지고 스승을 따름이 어찌 우연일까.
천 년 성인(聖人)의 진리는
태양처럼 밝고,
만 리 붕새의 여정은
푸른 하늘처럼 아득하구나.
조용한 기품의 맛은
구름이 돌아가는 골짜기,
개운한 가슴 속 달이
떨어지는 시냇물 같구나.
모름지기 여기서 크고 작은 일을 다 녹일지니,
밝은 창 아래 책을 펼치고 선현(先賢)을 마주하리.

妙年向學正堪憐　묘년향학　정감련
負笈從師豈偶然　부급종사　기우연
聖道千秋昭白日　성도천추　소백일
鵬程萬里睹靑天　붕정만리　도청천

幽閑氣味雲歸壑　유한기미　운귀학
洒落胸襟月落川　쇄락흉금　월락천
須是消融多少事　수시소융　다소사
明窓展卷對先賢　명창전권　대선현

감상평

스무 살, 늦은 나이에 학문의 길을 걷기 시작한 이의 마음을 담은 시는, 깊은 성찰과 끊임없는 추구의 과정을 아름답게 표현합니다. 이 시는 단순히 학문을 시작한 나이의 늦음을 한탄하는 것이 아니라, 그 결정이 얼마나 중요하고 의미 있는지를 깨닫게 합니다.

이 시는 학문의 길을 늦게 시작했다 할지라도, 그 여정 자체가 가지는 의미와 가치, 그리고 그 과정에서 얻게 되는 깊은 깨달음과 내면의 평화를 강조합니다. 학문의 길은 단순히 지식을 쌓는 것을 넘어서, 자기 삶과 세상을 이해하고, 진정한 의미와 가치를 찾아가는 여정입니다. 이 시를 통해 우리는 어느 나이에나 학문의 길에 들어설 수 있으며, 그것이 가져다주는 변화와 성장의 가치를 다시 한번 되새기게 됩니다.

대학(大學)의 가르침

대학의 삼강령(三綱領)과 팔조목(八條目)은
지남차(指南車)처럼 대로를 따라가야 한다네.
명덕(明德)은 본디 안팎으로 나눌 수 없어
격물치지(格物致知)로 이치를 구하는 것이
학문의 요체(要諦)
지어지선(止於至善)에서
치국평천하(治國平天下)로 이어지니
근본(根本)을 먼저하고
말단(末端)을 나중에 해야하리

三綱領又八條目　삼강령우　팔조목
有如南車遵大路　유여남차　준대로
明命元無分內外　명명원무　분내외
格致須求爲學要　격치수구　위학요

止善治平次第事　지선치평　차제사
本所當先末所後　본소당선　말소후

감상평

이종락 선생의 "대학의 가르침"을 현대 시로 재해석한 작품은 고전적 지혜와 현대적 사유의 조화를 이루며, 대학의 삼강령과 팔조목을 현대적 관점에서 재조명합니다. 이 시는 공자의 대학 사상을 현대적 언어로 풀어내며, 학문의 본질과 인생의 지향점을 탐구합니다. "지남차처럼 대로를 따라가야 한다"라는 구절은, 올바른 방향성을 가지고 학문과 인생의 길을 걸어가야 함을 강조합니다. "명덕은 본디 안팎으로 나눌 수 없어"라는 말은, 내면의 덕과 외면의 행동이 일치해야 한다는 교훈을 담고 있습니다. 이 시는 "근본을 먼저하고 말단을 나중에 해야 한다"라는 말로 마무리되며, 모든 학문과 행동의 기초가 되는 근본적 가치와 원칙의 중요성을 강조합니다. 이종락 선생의 현대시는 고전적 가르침을 현대적 감성으로 재해석함으로써, 오늘날 우리에게도 여전히 유효한 지혜와 가르침을 전달합니다.

이 시를 통해 대학의 삼강령과 팔조목을 바탕으로 학문과 삶을 살아가야 한다고 주장하고 있다. 또한, 근본을 먼저하고 말단을 나중에 해야 한다는 것을 강조하고 있다.

논어를 읽자

봄바람 부는 궐리(闕里)에서 묻고 대답하니
노론(魯論)에 기술한 그 일부분
본원 함양(涵養)엔 덕에 기반을 두고
인(仁)이란 한 글자, 그 뿌리가 되네
다른 시대에 공자의 가르침을 이어가지만
다만 논어를 탐구 완상(玩賞)함에 오래 힘을 쏟아야
하네

春風闕里隨問答　춘풍궐리　수문답
記述魯論是一部　기술노론　시일부
涵養本原德有基　함양본원　덕유기
仁之一字爲根柢　인지일자　위근저

異代悅爾承親炙　이대황이　승친자
只在探玩積力久　지재탐완　적력구

감상평

선생의 시는 고전을 현대적 언어로 재해석함으로써, 고전의 지혜가 현대사회에서도 여전히 유효하고, 삶의 지침이 될 수 있음을 보여줍니다. 이러한 접근은 고전을 단순한 과거의 유산이 아닌, 현재와 미래를 이어주는 살아있는 지혜로서 재인식하는 데에 큰 의의가 있습니다. 특히, 인(仁)이라는 한 글자의 뿌리를 탐구하는 과정은 학문의 본질을 탐구하는 과정이자, 인간으로서의 본질적 가치를 되새기는 과정으로 해석될 수 있습니다.

봄바람이 부는 궐리(闕里)에서 묻고 답하는 형식을 통해, 고전적 학문 탐구 방식과 현대적 사유의 교류를 상징적으로 표현합니다. 논어 책에 기술된 내용을 현대적 시각으로 재조명하며, 본원 함양에 덕을 기반을 둔 인(仁)의 가치를 탐구합니다. 이는 공자의 가르침이 단순히 과거의 유산이 아니라, 현재와 미래를 이어주는 살아있는 지혜로서의 가치를 강조합니다.

이종락 선생의 작품을 통해 고전과 현대가 만나는 지점에서 새로운 가르침과 영감을 얻을 수 있습니다. 그의 시는 고전적 가치와 현대적 사유가 어우러져, 독자가 삶과 학문에 대한 깊은 성찰을 끌어내는 힘이 있습니다.

맹자, 왕도의 꿈

제나라 양나라 유람하며
왕도정치를 펼치면서,
불의(不義)와 불인(不仁) 척결했고
천리(天理)와 인욕(人欲)의 갈림길에서
양묵(楊墨)을 배격하며 성인(聖人)의 길을
걸어갔네.

의(義)와 이(理)의 명확한 경계로
양주(楊朱) 묵적(墨翟)을 거절하고,
인의(仁義)를 분명히 분간 확충하여
인도(仁道)의 문로(門路)를 넓히셨으니
우(禹)임금 못지않은 맹자의 공적
오늘도 빛나네.

游乎齊梁陳王政	유호제량 진왕정
麤拳大踢接統緖	추권대척 접통서
存得天理遏人欲	존득천리 알인욕
聖道可閑楊墨距	성도가한 양묵거
明辨充廣門路廓	명변충광 문로확
功不禹下儘不誣	공불우하 진불무

감상평

이종락 선생의 '맹자, 왕도의 꿈'은 맹자의 철학과 그가 추구한 왕
도정치의 이상을 현대적 시각으로 재해석한 작품입니다. 제나라와 양
나라를 유람하며 불의(不義)와 불인(不仁)을 척결하고, 천리(千里)와
인욕(人慾)의 갈림길에서 올바른 길을 선택한 맹자의 모습을 통해,
도덕적 가치와 인간성 회복의 중요성을 강조합니다. 이 시는 양주(楊
朱)와 묵적(墨翟)의 사상을 거부하고, 인의의 길을 확고히 걸어간
맹자의 공적을 현대적 언어로 풀어내며, 그의 사상이 오늘날에도 여
전히 유효하고 가치 있는 이유를 보여줍니다.

중용(中庸)의 지혜

공자의 손자 자사(子思)는
깊은 근심과 먼 앞날 생각으로
중용 책을 지었네.
전후 성인은 한 법칙으로
같은 길을 걸었네.

그 이치(理致)
펼치면 우주를 가득 채우고,
말아쥐면 한 줌으로 귀결되네.
그 속에는
하늘과 사람, 귀신 이치를
모두 갖추었네.

소리도 냄새도 없어
어찌 깨달을 수 있을까.
미묘한 이치는 말없이 깨닫는 거라네.

憂深慮遠著中庸　우심려원　저중용
前後聖人同一揆　전후성인　동일규
放彌六合卷藏密　방미육합　권장밀
天人神鬼理畢具　천인신귀　이필구

無聲無臭於何得　무성무취　어하득
微妙要在黙而會　미묘요재　묵이회

감상평

중용의 근본적인 가르침을 현대적 언어로 풀어내며, 그 깊이와 넓이를 새롭게 조명합니다. 이 작품은 중용이 단순히 중간을 지키는 것이 아니라, 모든 것을 포용하며 균형과 조화를 이루는 지혜를 추구한다는 점을 강조합니다.

이 시는 중용의 핵심 가치인 조화와 균형을 통해 우주와 인간, 귀신의 이치를 아우르는 깊은 지혜를 담고 있습니다. 전후 성인이 같은 길을 걸었다는 표현을 통해, 중용의 가르침이 시대를 초월한 보편적 가치를 지니고 있음을 강조합니다. 또한, 이치를 펼치면 우주를 가득 채우고, 말아쥐면 한 줌으로 귀결된다는 구절은 중용의 지혜가 얼마나 광대하면서도 심오한지를 보여줍니다.

이 시를 통해 독자는 중용의 철학이 단순한 이론이 아니라, 일상에서 실천할 수 있는 삶의 지혜임을 깨닫게 됩니다. 소리도 냄새도 없이 미묘한 이치를 말없이 깨닫는 과정은, 우리가 일상에서 중용의 가르침을 어떻게 적용할 수 있는지를 상기시킵니다.

시경(詩經)을 읽어라.

시경(詩經)은
정풍(正風) 변풍(變風),
모두가 풍아송(風雅頌)이요,
영탄하다 보니
부비흥(賦比興)으로 엮었네.

슬퍼도 즐거워도
바른 성정(性情)에서 벗어나지 않았고,
군왕과 부모 섬기는
떳떳한 윤리를 펼치네.

보고 느낀 감정 잘 읽어낸다면
조수(鳥獸) 초목(草木)의 명칭은
저절로 알게 된다네.

正變誰非風雅頌　　정변수비　풍아송
詠歎摠是興比賦　　영탄총시　흥비부
哀樂不過性情正　　애락불과　성정정
君父可事彝倫敍　　군부가사　이륜서
觀感興起善讀了　　관감흥기　선독료
鳥獸草木特餘緒　　조수초목　특여서

감상평

이종락 선생의 "시경을 읽어라."라는 고대 중국의 시집인 시경의 가치와 의미를 현대적 시각으로 재해석한 작품입니다. 시경의 정풍(正風)과 변풍(變風), 그리고 풍아송(風雅訟)을 통해 인간의 다양한 감정과 윤리적 가치를 표현한 점을 강조하며, 이를 통해 독자들이 자연과 인간, 그리고 사회의 본질적인 가치를 이해할 수 있도록 이끕니다.

이 시는 슬픔과 기쁨이라는 인간의 본성을 바르게 표현하고, 군왕과 부모를 섬기는 떳떳한 윤리를 펼치는 시경의 내용을 현대적 언어로 담아내며, 고전의 지혜가 현대사회에서도 여전히 유효하다는 메시지를 전달합니다.

특히, "보고 느낀 감정 잘 읽어낸다면 조수와 초목의 명칭은 저절로 알게 된다"라는 구절은, 시경을 통해 자연과 인간에 대한 깊은 이해와 감각을 키울 수 있음을 시사합니다. 이는 고전을 통한 교육과 자기 성찰의 중요성을 강조하는 동시에, 시경이 단순한 문학 작품을 넘어서 인간과 자연, 사회를 아우르는 깊은 지혜의 보고임을 드러냅니다.

이종락 선생의 "시경을 읽어라."는 고전에 대한 새로운 시각을 제공하며, 독자들이 시경의 가치를 재발견하고, 그 속에 담긴 인간과 자연, 사회에 대한 근본적인 이해를 깊게 하도록 이끕니다. 이 작품을 통해 우리는 고전이 현대사회에 어떻게 적용될 수 있는지, 그리고 그 속에서 어떤 지혜를 얻을 수 있는지를 다시 한번 생각해볼 기회를 얻게 됩니다.

서경(書經), 역사의 교훈

요순(堯舜)은 겸양(謙讓)으로
천자 자리를 서로 물려주었고
탕무(湯武)는 전쟁으로
형세(形勢)를 따랐지.

그렇게 하신 유래는
달라도
도(道)는 한 가지,
하늘은 높고 민심은 밝네.

아!
인(仁)을 해치던 걸(桀)과 주(紂) 임금 보며
천하를 잃고 추락한 모습을 거울로 삼아야지.

唐虞揖遜能相禪　당우읍손　능상선
湯武交爭隨遇處　탕무교쟁　수우처
由來時異道則同　유래시이　도즉동
惟天巍巍民皞皞　유천외외　민호호
吁彼賊仁桀與紂　우피적인　걸여주

喪師宜鑑前轍墜 상사의감 전철추

감상평

이종락 선생의 "서경, 역사의 교훈"은 고대 중국의 정치학의 원조인 서경을 현대적 시각으로 재해석한 작품입니다. 이 시는 요순(堯舜)의 겸양과 탕무(湯武)의 결단력을 통해 통솔력의 본질과 역사 속에서의 도덕적 가치를 탐색합니다.

시는 요순과 탕무의 다른 행동 방식을 통해, 상황에 따라 다른 지도력이 필요함을 보여주지만, 그 근본에는 하늘과 민심을 중시하는 같은 '도(道)'가 존재함을 강조합니다. 이는 역사를 통해 배울 수 있는 교훈이 단일한 진리에 기반하고 있음을 시사합니다.

또한, 인(仁)을 해치고 천하를 잃었던 걸(桀)과 주(紂)의 예를 들며, 권력의 오용과 도덕적 타락이 결국 파멸로 이어진다는 역사의 교훈을 전달합니다. 이는 권력자들이 역사를 거울삼아 올바른 길을 걸어야 함을 강조하는 메시지로 해석될 수 있습니다.

"서경, 역사의 교훈"은 고대 사서에서 얻을 수 있는 교훈을 현대적 언어로 풀어내며, 역사를 통해 인간성과 통솔력의 본질을 탐구하는 데 중요한 역할을 합니다. 이종락 선생의 이 작품을 통해 우리는 과거의 지혜를 현재에 적용하는 방법을 배우고, 더 나은 미래를 위한 교훈을 얻을 수 있습니다.

자연의 신비 夜坐

바람이 잠잠하니
연못 속의 달도 또렷하고
풍경소리 고요하니 눈 덮인 산도 텅 비었네.
지극한 이치(理致) 이곳에 있으니
드러나지 않은 가운데 꽉 들어 있구나.

風	恬	塘	月	白	풍	염	당	월	백
磬	靜	雪	山	空	경	정	설	산	공
至	理	於	斯	在	지	리	어	사	재
方	知	未	發	中	방	지	미	발	중

감상평

이 시에서 고요한 자연 속에서 지극한 이치를 발견한다. 바람이 잠
잠하고 풍경소리가 고요하니, 연못 속의 달도 또렷하고 눈 덮인 산
도 텅 비어 있다. 이는 자연이 본래의 모습을 드러내고 있음을 보여
주는 것이다.

이러한 자연의 모습을 통해 지극한 이치를 발견한다. 지극한 이치는
말로 표현할 수 없는 절대적인 진리이다. 이러한 지극한 이치가 고
요한 자연 속에 있다는 것을 깨닫는다.

쓸데없는 망상 自警

쓸데없는 망상 마음의 누(累)만 되고
헛된 명예 정신만 소비한다네.
마음을 맑게 하고 일을 던다면
이르는 곳마다 천진난만하다네.

濫	想	徒	爲	累	남	상	도	위	루
浮	名	枉	費	神	부	명	왕	비	신
淸	心	而	省	事	청	심	이	생	사
到	處	見	天	眞	도	처	견	천	진

감상평

이 시에서 쓸데없는 망상과 헛된 명예에 대해 비판하고 있다. 쓸데
없는 망상이 마음의 누만이 되고, 헛된 명예가 정신을 소비한다고
말한다. 이는 쓸데없는 망상과 헛된 명예가 인간의 삶을 혼탁하게
만들고, 진정한 행복을 얻는 것을 방해한다는 것을 의미한다.

마음의 망상을 벗어버리고, 일을 던짐으로써 진정한 행복을 찾을 수
있다고 말한다. 마음을 맑게 하면, 세상을 천진난만하게 바라볼 수
있다. 이는 쓸데없는 망상과 헛된 명예에 얽매이지 않고, 진정한 자
기 자신을 찾을 수 있다는 것을 의미한다.

남아의 심경 歲暮書懷

남아가 무슨 일로 심경(心境)이 복잡 터냐?
세상살이 촉도(蜀道)같이 험해서라네.
냉이로 봄이 거의 왔음을 알겠고
눈 덮인 초가에선 막걸리를 빚어놓았네.

정신은 공맹(孔孟)의 참다운 세계를 노닐며
복희(伏羲) 황제(皇帝) 옛 시대 꿈을 꾼다네.
임이시여 어디로 떠나는고
한가로이 신선 세계로 가서 노니시는가.

男兒何事計迂疎	남아하사 계우소
世路多今蜀道如	세로다금 촉도여
莫草驗看春到域	명초험간 춘도역
栢醪釀出雪封廬	백료양출 설봉려
神遊鄒魯眞詮界	신유추로 진전계
夢入羲皇邃古初	몽입희황 수고초
望美人兮奚所適	망미인혜 해소적
寬閒剩得考槃居	관한잉득 고반거

감상평

이 시에서 남아가 심경이 복잡한 이유에 관해 묻고 있다. 남아가 심경이 복잡한 이유는 세상살이가 촉도(蜀道)같이 험하기 때문이라고 생각한다. 촉도는 중국의 산악 지대에 있는 험난한 길로, 세상살이가 그만큼 어렵고 힘들다는 것을 의미한다.

시의 두 번째 부분에서 냉이와 막걸리를 통해 봄이 다가오고 있음을 암시한다. 냉이는 봄의 대표적인 나물이며, 막걸리는 봄에 즐겨 마시는 술이다. 봄이 다가오고 있지만, 여전히 세상살이는 험난하기만 하다.

시의 세 번째 부분에서 공맹(孔孟)의 참다운 세계와 복희(伏羲) 황제(皇帝)의 옛 시대를 꿈꿉니다. 공맹은 공자와 맹자의 줄임말로, 공자와 맹자의 가르침을 통해 참된 세상을 꿈꿉니다. 복희 황제는 중국의 전설적인 황제로, 이상향의 옛 시대를 통해 평화롭고 안정된 세상을 꿈꿉니다.

시의 마지막 부분에서 고운 임이 어디로 떠나는지 묻습니다. 고운 임은 화자가 그리워하는 사람이며, 고운 임이 신선 세계로 가서 노닐고 있는 것이 아닐까 생각한다.

이 시를 통해 우리는 세상살이의 어려움과 참된 세상에 대한 갈망을 느낄 수 있다. 또한, 화자가 고운 임을 통해 얻고자 하는 것은 무엇인지 생각해 볼 수 있다.

세속(世俗)을 초월한 삶 次唐人書壁韻

높은 뜻을 품고 세상의 속박에서 벗어나려는 마음,
창가에 쌓인 책들은 빛을 더해주네.
안개 속에 숨은 산의 윤곽처럼,
멀리서 들려오는 솔바람 소리가 마음을 울려.

한나라 부흥의 꿈을 안고,
제나라를 정벌하려는 거짓된 명분에 부끄러움을 느껴.
몸과 마음이 평안해지니, 참된 이치가 보여,
헛된 말은 줄이고 진실한 신의를 지키리.

尚志由來不俗情	상지유래	불속정
千籤子史一窓明	천첨자사	일창명
却憐豹霧藏山勢	각련표무	장산세
遙聽松濤度壑聲	요청송도	도학성
涉世深推扶漢義	섭세심추	부한의
着工多愧伐齊名	착공다괴	벌제명
安身覺得眞符在	안신각득	진부재
守口如瓶防意城	수구여병	방의성

감상평

이 시는 세속적인 욕망과 구속에서 벗어나려는 깊은 열망을 담고 있으며, 창가에 쌓인 책과 멀리서 들려오는 솔바람 소리를 통해 평온과 자유를 추구하는 마음을 아름답게 표현하고 있습니다. 한나라 부흥의 꿈과 제나라 정벌의 거짓 명분에 대한 부끄러움을 통해, 진정한 평안과 참된 이치를 깨닫고, 헛된 말을 줄이며 진실한 신의를 지키겠다는 결심을 보여줍니다. 이 시는 단순히 고대의 이야기를 전하는 것이 아니라, 오늘날 우리에게도 세속적인 가치에 얽매이지 않고 자신만의 길을 걸으려는 용기와 영감을 주는 작품입니다. 이종락 선생의 섬세한 감성과 깊은 사유가 돋보이는 시로, 현대인들에게도 큰 울림을 주는 시적 명작이라 할 수 있습니다.

은거 1 歲暮

산골에 은거하고 싶네!
백엽주에 취해 살고 싶네.
세상은 내 뜻에 맞지 않으니
태평성세는 어디에 있을까?

연못 속 달빛은 밤하늘에 흐르고
매화는 눈꽃 속에서 꽃을 피우네.
공자(孔子)의 도량은 높고 깊지만
그 문을 얻은 사람은 자공(子貢)뿐이라네.

考槃薖軸矢無諼	고반과축	시무훤
歲暮頻傾栢葉樽	세모빈경	백엽준
雲路未酬丈夫志	운로미수	장부지
塵寰那睹太平痕	진환나도	태평흔
塘心蘸月天晴夜	당심잠월	천청야
梅頰粧春雪暎暾	매협장춘	설영돈
數仞宮牆何處是	수인궁장	하처시
於惟端木得其門	어유단목	득기문

감상평

산골에서 은거하며 백엽주에 취해 살고 싶다는 절절한 바람은, 현대 사회의 복잡함과 소음에서 벗어나 자연과 하나 되고자 하는 인간의 근원적 욕구를 담고 있습니다. 세상의 번잡함과 불화를 멀리하고, 연못 속 달빛과 매화꽃이 피는 평화로운 풍경은 마음의 평안을 찾고자 하는 갈망을 아름답게 표현하고 있습니다. 공자의 도량이 높고 깊음에도 불구하고 그 문을 얻은 사람이 자공(子貢)뿐이라는 점은, 참된 지혜와 가치를 이해하고 실천하는 이가 드물다는 안타까움을 전합니다. 이 시는 단순한 은거의 삶을 넘어, 진정한 삶의 가치와 평화를 추구하는 현대인들에게 깊은 공감과 성찰의 기회를 제공합니다.

은거(隱居) 2 春曉

세상에 나가고 숨는 게 하늘의 뜻이거니
바위 아래 숨어 사는 나를 비웃는 듯
골짜기 솔바람 소리 빗소리 같고
창공에 학 나래 춤 손님 맞는 듯
세상의 풍파에 흔들리지 않고
봄이 찾아온 강산에 만물도 봄
새소리에 눈을 뜨니
바람에 전해지는 따스한 기운

行藏由命不由人	행장유명	불유인
笑我巖居白髮新	소아암거	백발신
度壑松聲聲擬雨	도학송성	성의우
翻空鶴舞舞迎賓	번공학무	무영빈
潮來天地中流砥	조래천지	중류지
寒盡江山萬物春	한진강산	만물춘
好鳥爭鳴徐起夢	호조쟁명	서기몽
條風一陣氣絪縕	조풍일진	기온인

감상평

이종락 선생의 '은거(隱居)'는 자연과 깊은 교감을 통해 세상의 번잡함에서 벗어나고자 하는 마음을 섬세하게 담아낸 시입니다. 세상의 풍파에 흔들리지 않고, 자연 일부로서 평화롭게 살아가고자 하는 은둔자의 삶이 시적 이미지를 통해 생생하게 펼쳐집니다. 바위 아래 숨어 사는 모습, 골짜기 솔바람과 빗소리, 창공을 나는 학의 나래 춤은 모두 자연과 하나 되어 세상의 소란을 멀리한 채 내면의 평화를 찾고자 하는 이종락 선생의 깊은 사유를 반영합니다.

또한, "세상에 나가고 숨는 게 하늘의 뜻이거니"라는 구절은 인간 존재의 근본적인 순환과 자연의 법칙에 순응하며 살아가는 삶의 태도를 시사합니다. 이는 현대사회를 살아가는 우리에게도 큰 울림을 줍니다. 바쁘게 돌아가는 일상에서 잠시 멈추어 자연의 소리에 귀 기울이고, 내면의 목소리에 집중하는 것의 중요성을 일깨워 줍니다.

'은거(隱居)'는 단순히 세상을 떠나 은둔하는 것이 아니라, 자연과의 조화 속에서 진정한 자아를 발견하고, 세상과 조화로운 관계를 모색하는 깊은 철학적 사유를 담고 있습니다. 이 시를 통해 우리는 현대사회의 복잡함 속에서도 자연과 조화롭게 살아가며 내면의 평화를 찾는 방법에 대해 다시 한번 생각해 볼 수 있습니다.

청운(靑雲)의 뜻 偶吟

청운의 뜻 고전에 묻어두니
남아의 가슴 속 광풍(狂風)이 멎었네.
세상은 놀랄 만큼 변했다지만
멧돼지 사슴 노는 깊은 산, 넉넉하다네

주렴 걷고 해돋이를 보는데
하늘 끝을 나는 기러기처럼
내 마음도 하늘 끝에 닿았네!

동쪽 언덕에서 노래하며 내려오는데
솔바람에 찌릿찌릿 춥기도 하네

自致靑雲在古難	자 치 청 운　재 고 난
男兒胸府止狂瀾	남 아 흉 부　지 광 란
桑田碧海多翻刦	상 전 벽 해　다 번 겁
鹿豕深山剩得寬	녹 시 심 산　잉 득 관
高敞簾籠看日出	고 창 염 롱　간 일 출
遠飛鴻鵠接天端	원 비 홍 곡　접 천 단

東皐舒嘯歸來晚　동고서소　귀래만
翦翦松風側側寒　전전송풍　측측한

감상평

'청운(靑雲)의 뜻'은 고전적인 의미에서 벗어나 자신만의 길을 걷고
자 하는 이종락 선생의 깊은 사유와 결단을 담은 시입니다. 청운, 즉
푸른 구름은 높은 지위나 이상을 추구하는 마음을 상징하며, 이를
통해 선생은 자기 삶과 야망에 대한 깊은 성찰을 표현합니다. 시는
세상이 변하고, 멧돼지와 사슴이 노는 깊은 산에서 평온함을 통해,
외부 세계의 변화에도 불구하고 자신의 내면적 가치와 이상을 추구
하는 태도를 보여줍니다.

주렴을 걷고 해돋이를 바라보며, 하늘 끝을 나는 기러기처럼 자신의
마음이 높은 곳에 닿기를 바라는 구절은, 물질적 성공을 넘어서는
정신적, 영적 성취를 갈망하는 인간의 본성을 드러냅니다. 동쪽 언덕
에서 내려오며 노래하는 모습, 솔바람에 춤기도 하지만 그 속에서
느끼는 삶의 진정한 의미와 가치에 대한 깊은 통찰을 제공합니다.

이 시는 단순히 높은 지위를 추구하는 것이 아니라, 자신만의 길을
걸으며 진정한 자아를 발견하고, 내면의 평화와 조화를 추구하는 삶
의 태도를 보여줍니다. 이종락 선생의 '청운(靑雲)의 뜻'은 우리에게
자신의 삶을 깊이 성찰하고, 진정으로 가치 있는 것이 무엇인지를
탐구하게 하는 강력한 메시지를 전달합니다.

세상의 부질없음 晩春偶成

뜬세상의 공명은 허망한 꿈일 뿐이니
늙도록 가난하게 살아도 탄식할 일 아니리.
골짜기 물소리 들으며 거문고를 켜며 놀고
약초밭 일구며 봄비를 기다리네.
산을 둘러싼 짙은 안개에 스님은 절을 잃고
험한 길 예쁜 꽃에 길손은 차를 세우네.
동풍 한 줄기가 끝없이 불어오는데
눈앞의 세상이 따스하니 내 마음도 여유롭구나.

浮世功名入夢虛	부세공명 입몽허
不曾白首歎窮廬	불증백수 탄궁려
聽流古磵携琴遠	청류고간 휴금원
蒔藥春田待雨初	시약춘전 대우초
宿霧籠山僧問寺	숙무농산 승문사
奇花挾路客停車	기화협로 객정거
東風一陣吹無限	동풍일진 취무한
滿目昭融意裕如	만목소융 의유여

감상평

이종락 선생의 '세상의 부질없음'은 현대인에게도 여전히 큰 울림을 주는 작품입니다. 이 한시는 세상의 허무함과 인생의 진정한 가치에 대해 깊이 있는 성찰을 담고 있습니다. "뜬세상의 공명은 허망한 꿈일 뿐이니, 늙도록 가난하게 살아도 탄식할 일 아니리."라는 구절에서는 세상의 영화와 명성이 결국은 허무한 것임을 깨닫게 합니다. 이는 현대 사회에서도 끊임없이 추구하는 성공과 명예가 결국은 빈손으로 돌아가야 하는 인생의 본질을 되새기게 합니다.

"골짜기 물소리 들으며 거문고를 켜며 놀고, 약초밭 일구며 봄비를 기다리네."라는 구절은 자연과 함께하는 소박한 삶의 아름다움을 노래합니다. 이는 현대인에게 자연으로 돌아가 평온을 찾으라는 메시지로 다가옵니다. 또한, "산을 둘러싼 짙은 안개에 스님은 절을 잃고, 험한 길 예쁜 꽃에 길손은 차를 세우네."라는 구절에서는 인생의 여정 속에서 예기치 못한 아름다움을 발견하고, 그 순간을 소중히 여기라는 교훈을 줍니다.

이종락 선생의 '세상의 부질없음'은 현대사회의 복잡함 속에서도 진정한 행복과 만족은 내면의 평화와 자연과의 조화에서 찾을 수 있음을 일깨워 줍니다. 이 작품을 통해 우리는 세상의 번잡함을 잠시 내려놓고, 인생의 진정한 의미를 되새겨 볼 수 있는 소중한 기회를 얻게 됩니다.

선비의 노래 晩秋日吟示書堂諸生

가을비 젖은 온 산의 붉게 물든 단풍
고아한 선비의 노래 의취(意趣)가 어떠한가.
하늘가 기러기는 찬바람에 급히 돌아가고
나무 끝 구름은 떨어지는 노을에 머무네.
붉은 인끈의 영예를 어찌 탐하나!
홍살문의 부귀도 나를 범치 못하리라.
수업을 마치고 시상이 쏟아지는데
몽매한 이들과 어찌 다툴까 차마 쓸 수가 없구나.

紅葉千山雨洗初	홍엽천산	우세초
高吟秋士意何如	고음추사	의하여
天邊歸雁長風急	천변귀안	장풍급
木末停雲落照餘	목말정운	낙조여
紫紼縱榮焉用彼	자불종영	언용피
朱門雖富不干余	주문수부	불간여
前修講罷詩囊倒	전수강파	시낭도
爭奈癡聾未勘書	쟁내치롱	미감서

감상평

'선비의 노래'는 이종락 선생님의 한시를 현대 시로 재해석한 작품으로, 가을의 정취와 선비의 고결한 정신을 아름답게 담아냈습니다. 가을비에 젖은 산의 붉은 단풍과 하늘을 가르는 기러기, 나무 끝에 머무는 구름과 노을이 어우러진 풍경은 마치 한 폭의 그림처럼 아름답습니다. 이러한 자연의 아름다움 속에서 선비의 노래가 울려 퍼지며, 그 의취가 어떠한지 묻는 구절은 독자로 하여금 깊은 여운을 남깁니다.

이 시에서 선비는 붉은 인끈의 영예나 홍살문의 부귀를 탐하지 않고, 자신만의 길을 걷습니다. 이는 물질적인 가치보다는 정신적인 가치를 더 중요시하는 선비의 정신을 잘 나타내 줍니다. 또한, "수업을 마치고 시상이 쏟아지는데 몽매한 이들과 어찌 다툴까 차마 쓸 수가 없구나."라는 마지막 구절은 선비가 겪는 고뇌와 세상에 대한 안타까움을 표현하며, 독자가 현대사회 속에서도 우리가 잊지 말아야 할 가치에 대해 다시 한번 생각하게 합니다.

'선비의 노래'는 단순히 아름다운 자연을 묘사하는 것을 넘어서, 선비로 사는 삶의 태도와 정신적 가치를 되새기게 하는 작품입니다. 이를 통해 우리는 현대사회에서도 잃어버리지 말아야 할 진정한 가치가 무엇인지를 되돌아볼 수 있습니다.

요순의 시대 鳳凰歌 和玄聖獲麟歌

순임금 문왕의 시대에
봉황이 나타났었지.
오동나무에 깃들고
대나무 열매를 먹었다네.

가시를 뒤집어쓰니
어찌 근심하지 않으리오.
요순의 시대여
기린과 봉황이 노닐었네.

지금은 그때가 아니니
어찌 나오길 바랄까?
기린아!
네 생각을 하니 마음 근심뿐이라.

舜 文 世 兮 鳳 凰 遊　순 문 세 혜 봉 황 유
梧 桐 其 棲 竹 實 求　오 동 기 서 죽 실 구
蒙 荊 棘 兮 胡 不 憂　몽 형 극 혜 호 불 우
唐 虞 世 兮 麟 鳳 遊　당 우 세 혜 인 봉 유

今 非 其 時 來 何 求　금 비 기 시 내 하 구
麟 兮 麟 兮 我 心 憂　인 혜 린 혜 아 심 우

감상평

이종락 선생님의 ′요순의 시대′는 고대 중국의 이상향을 그리워하는 마음을 담은 시입니다. 순임금과 문왕의 시대를 배경으로, 그 시절 봉황과 기린이 자유롭게 노닐던 평화롭고 아름다운 시절을 회상합니다. 현대에 이르러 그러한 이상적인 시대가 사라진 것을 애석해하며, 기린을 통해 당시의 평화로움과 현재의 근심을 대비시킵니다. 이 시는 고대의 이상적인 세계와 현대사회의 차이를 통해, 우리에게 현재의 삶을 되돌아보고 더 나은 미래를 꿈꾸게 하는 메시지를 전달합니다. 시의 언어는 단순하지만, 그 속에 담긴 의미는 깊어서 독자가 많은 생각을 하게 만듭니다. 이종락 선생님의 ′요순의 시대′는 과거와 현재, 이상과 현실 사이에서 우리가 어떻게 살아가야 하는지에 대한 성찰을 담고 있습니다.

위대한 인물 無題

하늘이 내린 영웅, 우연이 아니고,
품격이 뛰어나고 뜻은 굳세기만 하구나
일을 마친 당일에 따라갈 수 있으며
당당한 걸음은 평생에 비할 사람 없네!

나라와 백성에게 은혜를 베풀어
요사스러운 기운을 씻어내니 빛이 찬란하네!
위대한 명성, 끝이 없음을 알겠고
찬란한 빛으로 천추 역사에 길이 남으리.

天挺男兒不偶然	천정남아	불우연
稟資英邁立心堅	품자영매	입심견
下工當日誰能及	하공당일	수능급
濶步平生較莫先	활보평생	교막선
致澤君民基鞏固	치택군민	기공고
掃淸氛祲曜雙懸	소청분침	요쌍현
大名自此知無限	대명자차	지무한
輝暎千秋竹帛傳	휘영천추	죽백전

감상평

이종락 선생님의 ´위대한 인물´은 하늘이 내린 영웅의 존재를 통해 인간의 위대함과 품격을 노래하는 시입니다. 이 시는 단순히 역사 속 위대한 인물들의 업적을 칭송하는 것을 넘어, 그들의 품격과 굳은 뜻, 그리고 나라와 백성을 위한 헌신을 강조합니다. 위대한 인물의 당당한 걸음과 끝없는 명성은 시간을 초월하여 천추 역사에 길이 남을 것임을 예찬합니다. 이 시는 우리에게 위대함이 우연이 아닌, 뛰어난 품격과 굳은 의지에서 비롯됨을 일깨워 줍니다. 또한, 위대한 인물이 남긴 찬란한 빛은 후대에도 계속해서 영향을 미치며, 그들의 삶과 정신은 우리 모두에게 귀감(龜鑑)이 됩니다. ´위대한 인물´은 역사 속 인물들의 삶을 통해 현재를 살아가는 우리에게 영감을 주고, 더 나은 미래를 위해 노력하라는 메시지를 전달합니다.

´위대한 인물´을 통해, 우리는 과거의 위대한 인물들로부터 영감을 받고, 그들의 삶과 정신을 통해 현재와 미래를 성찰해 볼 수 있습니다. 이 시가 전하는 깊은 메시지를 통해, 우리가 모두 더 나은 사람이 되기 위해 노력할 수 있기를 바랍니다.

제갈량(諸葛亮) 夢拜蜀丞相

꿈에 제갈량에게 절할 기회 얻으니
늠름하고 위의 있는 풍모, 추상같구나.
중원(中原)을 회복하지 못한 당년(當年)의 한이여
영웅이 천추에 눈물 흘릴 만하구나.

夢中得拜蜀丞相　　몽중득배　촉승상
凜凜威風不盡秋　　늠름위풍　부진추
未復中原當日恨　　미복중원　당일한
英雄可淚感千秋　　영웅가루　감천추

감상평

이종락 선생의 '제갈량' 한시를 현대 시로 바꾼 작품은, 꿈속에서 위대한 전략가이자 촉의 총리였던 제갈량을 만나 절하는 장면을 그리고 있습니다. 이 시는 제갈량의 늠름하고 위엄 있는 모습을 '추상(秋霜)같다'고 표현하며, 중원을 회복하지 못한 그의 한을 영웅의 눈물로 묘사합니다. 이를 통해 역사 속 인물의 삶과 그들이 안고 간 한을 현대적 감성으로 재해석한 작품입니다.

'제갈량'은 단순한 역사적 인물의 묘사를 넘어, 그들의 삶과 한을 현대적 감성으로 풀어내며 독자들에게 깊은 울림을 줍니다. 역사 속 인물을 다루면서도 시대를 초월한 공감과 감동을 전달하는 이 작품은, 과거와 현재, 그리고 미래의 독자들에게도 계속해서 사랑받을 것입니다.

율곡(栗谷) 선생 拜栗谷先生墓

하늘은 선생을 우리 땅에 내려주어
유가(儒家)의 정수(精髓)로 도를 통(通)했네.
붉은 태양이 삼복더위를 내리쬐는 가운데
선생의 묘소를 참배하니
귓가에 선생의 풍기가 생생하게 들려오는 듯하네.

天生夫子海之東　천생부자　해지동
洙泗源流道脈通　수사원류　도맥통
赤日庚炎來拜墓　적일경염　내배묘
耳邊怳若颯然風　이변황약　삽연풍

감상평

이종락 선생의 '율곡 선생' 한시는 하늘이 우리 땅에 율곡 이이를 내려주어 유가의 정수로 도를 통하게 했다는 내용을 담고 있습니다. 이 시는 율곡 이이가 가진 도덕적 지도력과 학문에 대한 깊은 통찰력을 강조하며, 그의 묘소를 참배하는 과정에서 선생의 풍기가 생생하게 느껴진다고 표현합니다. 이는 율곡 이이의 학문과 가르침이 시간을 초월하여 여전히 우리에게 영향을 미치고 있음을 의미합니다.

'율곡 선생' 한시는 율곡 이이의 도덕적 지도력과 학문의 가치를 강조하며, 그의 가르침이 현재에도 여전히 유효하고 영향력이 있음을 보여줍니다. 율곡 이이의 학문과 정신이 시대를 초월하여 우리에게 깊은 울림과 교훈을 주는 것은, 진정한 학문의 힘이 어디에 있는지를 일깨워 줍니다.

사계(沙溪) 선생 展拜沙溪先生墓有感

선생의 도덕 명성을 온 나라에 떨치시니
백 대(代)에 우러러 해와 달처럼 밝구나.
가을바람에 묘소 참배하는 사람들 감격하는데
편리한 차편임에도 길손들 어찌 그리 바쁜지.
두루 살펴보아도 누린내 나는 혼탁한 세상
이곳이나마 마지막 희망이 남아 있다네.
노조(老祖)의 충심(衷心)과 소박(素朴)함을
전승하는데
그 누가 욕심의 바다를 가로질러 가려는가.

先 生 道 德 擅 吾 邦	선생도덕	천오방
百 代 攸 瞻 日 月 光	백대유첨	일월광
展 拜 秋 風 人 有 感	전배추풍	인유감
便 乘 車 路 客 何 忙	편승차로	객하망
不 辰 浩 閱 腥 塵 世	부진호열	성진세
是 處 應 存 碩 果 陽	시처응존	석과양
老 祖 適 傳 忠 且 樸	노조적전	충차박
誰 從 慾 海 棹 危 航	수종욕해	도위항

감상평

이 시는 사계(沙溪) 선생의 묘소를 참배하는 화자의 모습을 그린 시이다. 사계 김장생의 도덕적 명성과 그가 남긴 학문적 유산의 가치를 현대적 시각으로 재해석한 작품입니다. 이 시는 사계 선생의 도덕적 명성이 백 대에 걸쳐 해와 달처럼 밝게 빛나고 있음을 강조하며, 가을바람 속에서 묘소를 참배하는 사람들의 감격을 묘사합니다. 그러나 현대사회의 바쁜 일상에서도 이러한 가치를 찾아 나서는 이들의 모습을 통해, 혼탁한 세상 속에서도 마지막 희망이 남아 있음을 전합니다.

이종락 선생의 '사계 선생' 한시는 과거의 도덕적 명성과 학문적 가치를 현대적 시각으로 재조명하며, 혼탁한 현대사회 속에서도 진정한 가치와 희망을 찾아 나설 것을 권유합니다. 사계 김장생의 충심과 소박함을 전승하는 것이 현대인에게 어떤 의미가 있는지, 그리고 우리가 어떻게 욕심의 바다를 가로질러 진정한 가치를 추구해야 하는지에 대한 깊은 성찰을 제공합니다.

근사록(近思錄)을 읽고 讀近思錄有吟

유학의 깊은 근원을 정주자(程朱子)가 일깨우니,
어떻게 본받아야 향인(鄕人)을 면할 손가.
사시(四時)의 좋은 풍경 정취(情趣)를 노래하고,
만물을 살리는 마음 고요함 속 봄이라네.
존양(存養) 공부엔 거경(居敬)이 필요하고,
함양(涵養) 방법엔 인(仁)을 체득함에 달려 있네.
일마다 점차 공부가 깊어지니,
서두름은 공연히 내 진경(眞境)을 해친다네.

洙泗源深啓洛閩　　수사원심　계낙민
何由鑽仰免鄕人　　하유찬앙　면향인
四時佳景吟邊趣　　사시가경　음변취
萬物生心靜後春　　만물생심　정후춘
存養要須居以敬　　존양요수　거이경
涵濡亶在體夫仁　　함유단재　체부인
事由漸進工由熟　　사유점진　공유숙
助長徒然害我眞　　조장도연　해아진

감상평

이 시는 유학의 깊은 근원을 깨닫고, 그에 따라 삶을 살아가고자 하는 시인의 다짐을 표현한 시이다.

이 시는 유학의 근본을 탐구하고, 사시의 변화 속에서 자연과 인간의 조화로운 삶을 노래합니다. 또한, 진정한 학문의 길은 서두르지 않고, 인(仁)을 체득하며 거경(居敬)을 통한 존양(存養)에 있음을 강조합니다.

이종락 선생의 ´근사록을 읽고´라는 유학의 깊은 가르침과 자연의 조화, 그리고 인(仁)의 체득을 통한 학문의 깊이를 현대적 시각으로 재조명합니다. 이 시는 현대사회에서 직면한 다양한 문제에 대해 유학의 가르침이 여전히 유효한 해답을 제시할 수 있음을 보여주며, 서두르지 않고 내면을 성찰하며 학문의 길을 걷는 중요성을 강조합니다.

춘추(春秋)를 읽고 讀春秋

곤부(袞斧)의 미의(微意),
가슴 깊이 파고들어
진한 울림, 모발이 송연하다네

시(詩)는 서주(西周)에서 끊어지고
춘추(春秋)는 동노(東魯)에서 끝났네.

태화원기(太和元氣) 우리 스승 공자께서
군왕의 필법으로 이 한 편을 지으셨네.

이 세상 그 어디서 밝은 대의를 얻어서
시비(是非)와 흑백(黑白)을 분명하게 판단할까.

華嚴袞斧稱微權　　화엄곤부　칭미권
讀罷深更髮竦然　　독파심갱　발송연
詩廢西周遷洛日　　시폐서주　천낙일
史終東魯獲麟年　　사종동노　획린년

太和元氣吾夫子　　태화원기　오부자
常法君王此一篇　　상법군왕　차일편
安得人間明大義　　안득인간　명대의
是非黑白判天淵　　시비흑백　판천연

감상평

이종락 선생의 '춘추를 읽고'라는 시는 고대 중국의 역사적 사서인 춘추의 깊은 의미와 공자의 가르침을 현대적 시각으로 재해석한 작품입니다. 이 시는 곤부(袞斧)의 미의(微意)와 태화원기를 통해 공자가 남긴 군왕의 필법과 대의를 어떻게 현대에 적용할 수 있는지를 탐구합니다. 시비와 흑백을 분명하게 판단하는 공자의 지혜는 오늘날에도 여전히 유효한 가르침으로 다가옵니다.

고대 중국의 역사적 사서인 춘추와 공자의 가르침을 현대적 시각으로 재해석하며, 윤리와 도덕의 중요성을 강조합니다. 이 시는 공자의 지혜를 통해 현대사회의 다양한 문제에 대한 해결책을 제시하며, 올바른 판단력과 대의를 추구하는 삶의 중요성을 일깨웁니다.

갈 길은 멀고 任重道遠

길은 멀고 책임은 무거운데 심려까지 더하니
늙은이의 가는 길 점입가경이로구나
절차탁마로 군자의 학문 여정을 알아차리고
웅혼한 기상을 가진 위대한 대인은 누구이던가
마음을 다스림은 정밀(精密)과 전일(專一)함이요
힘껏 실천함에 갈 길이 멀고 힘들다 마소
가고 멈춤이 모두 내게 달림이 분명하니
살아갈 날은 얼마 남지 않고,
지나간 날은 화려했었네.

道悠任重困衡加	도유임중	곤형가
老去工程漸入嘉	노거공정	점입가
磨琢知應君子學	마탁지응	군자학
雄渾誰是大方家	웅혼수시	대방가
治心須要精而一	치심수요	정이일
得力休云遠且遐	득력휴운	원차하
進止分明皆在我	진지분명	개재아
餘年慥慥昔年華	여년조조	석년화

감상평

이종락 선생의 '갈 길은 멀고'는 인생의 여정(旅程)과 학문의 길을 깊이 있게 탐구한 작품입니다. 길은 멀고 책임은 무거우며, 심려까지 더해져 인생의 여정이 점입가경임을 표현합니다. 이 시는 군자의 학문 여정을 '절차탁마(切磋琢磨)'로 비유하며, 위대한 대인의 웅혼한 기상을 묘사합니다. 마음을 다스리는 것의 중요성과 실천의 어려움을 강조하며, 인생의 무상함과 지나간 날의 화려함을 회상합니다.

'갈 길은 멀고'는 인생의 여정과 학문의 길을 깊이 있게 탐구한 작품으로, 마음 다스림과 실천의 중요성을 강조합니다. 인생의 무상함과 지나간 날의 화려함을 회상하며, 자신의 길을 걸어가는 모든 이들에게 깊은 울림을 전달합니다.

병주 서재 주련 屛洲書齋柱聯

산수 좋은 곳,
노을 속 별세계.
아침과 저녁에 서재에 앉으면
좌우로는 서적이 가득하네.
맑은 마음으로 도를 체득하고
성현을 본받으며,
연비어약(鳶飛魚躍)한 듯
천지 상하가 각기 제 곳을 얻었네.

山	水	名	境	산	수	명	경
烟	霞	別	天	연	하	별	천
朝	暮	芸	閣	조	모	운	각
左	右	簡	編	좌	우	간	편
澄	心	體	道	징	심	체	도
師	聖	慕	賢	사	성	모	현
飛	躍	鳶	魚	비	약	연	어
上	下	天	淵	상	하	천	연

감상평

이 글은 산수 좋은 곳에서 학문을 닦으며 도를 체득하고자 하는 선비의 마음을 담은 글이다.

첫 번째 연에서는 산수 좋은 곳의 경치를 묘사한다. 산수 좋은 곳에서 노을을 바라보며, 별들이 반짝이는 모습을 상상해 보게 된다. 이는 선비가 바라는 이상적인 삶의 모습을 나타낸다.

두 번째 연에서는 선비의 학문 닦는 모습을 묘사한다. 아침과 저녁에 서재에 앉아 책을 읽고, 맑은 마음으로 도를 체득하고자 한다. 이는 선비의 학문적 열망을 나타낸다.

세 번째 연에서는 선비의 이상향을 표현한다. 맑은 마음으로 도를 체득하고, 성현을 본받으면, 마치 새가 날고 물고기가 뛰는 것처럼 천지 상하가 각기 제 곳을 얻는 것과 같다고 말한다. 이는 선비가 바라는 세상의 모습을 나타낸다.

이 글을 통해 우리는 선비의 학문적 열망과 이상향을 엿볼 수 있다. 또한, 선비가 바라는 세상의 모습은 무엇인지 생각해 볼 수 있다.

도서명 역리시(易理詩)

발 행 | 2024년 5월 21일
편저자 | 檀山 박찬근
펴낸이 | 한건희
펴낸곳 | 주식회사 부크크
출판사등록 | 2014.07.15.(제2014-16호)
주 소 | 서울특별시 금천구 가산디지털1로 119 SK트윈타워 A동 305호
전 화 | 1670-8316
이메일 | info@bookk.co.kr

ISBN | 979-11-410-8612-1

www.bookk.co.kr